脱石油・AI・仮想通貨時代のアート

現代アート経済学Ⅱ

宮津大輔

Contents

現代アート経済学Ⅱ

脱石油・ＡＩ・仮想通貨時代のアート

C o n t e n t s

Contents

Contents

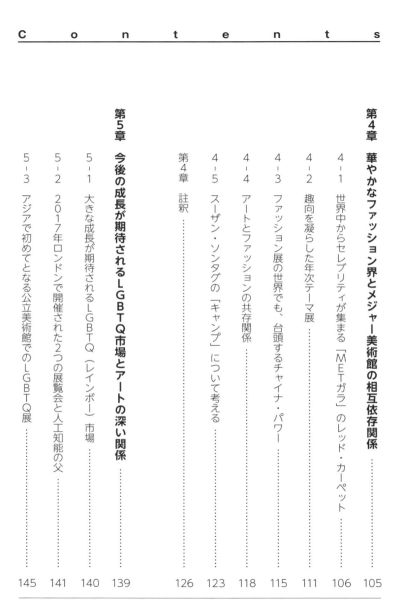

Contents

Contents

Contents

はじめに

美学、美術史のみならず経済的、政治的な視点から、現在進行形のアートについて私が著した『現代アート経済学』が刊行されてから､早いもので5年以上の年月が過ぎてしまいました。その間、米国はリベラルなバラク・オバマ大統領から、移民を排除し、中国との貿易戦争も辞さない「米国ファースト」のドナルド・トランプ大統領へと代わり、英国はEU離脱を決め、AI（人工知能）をはじめとする先端技術はその進化スピードをますます速めています。

世の中が変われば、当然、時の世相を強く反映する「現代アート」も、それらを扱うマーケットも変化するわけですから、『現代アート経済学』もアップデートしなければなりません。そこで今回『脱石油・AI・仮想通貨時代のアート』が、一体如何なるものであるのか、皆さんにお伝えすべく筆を執った次第です。

現代アートを巡る世界の状況

ただし、誤解しないでいただきたいのは、人並み外れた才能を有するアーティスト一人の努力だけでは、どれほど優れたアート作品であっても、その名を美術史に遺すことはできません。作品の価値は、それを創作したアーティストに加え、プロモーションや作品販売を行うギャラリスト、視覚的作品を言説で分析・評価する批評家、展覧会を通じてその重要性を世に問うキュレーター、そして作品購入によりその活動をサポートするコレクターたちの協力がなければ、高く評価されることはありません。こうした評価確立システムやキー・プレイヤーたちの存在は、いくら時代が移り変わろうとも揺らぐことはないのです。従って、前著以来試みてきた本質的構造の解明に力点を置き続けながら、様々に変化していく局面についても「不易流行」[※1]的な見地から論及しています。

　また、多くの方は「美術品には値段があって、ないようなものだ」と思い違いをされているかもしれません。しかし、オークションで激しく競わなければ、常識破りの金額になることはありません。なぜなら明確な理由がない限り、作品価格は上昇しないからです。また、〝美しい〟や〝素晴らしい〟といった無邪気な評価や、周到に考えられたマーケティング戦略も重要な価格決定要因とはなり得ません。

　単なるトレンドに迎合しただけの作品は、いずれ評価されなくなるばかりか、結局は美術館での展示や収蔵とは無縁の〝なんちゃって現代風アート〟として消えてしまうからです（最近はアート・ブームに乗じて、残念ながらそうした作品が氾濫しています）。

はじめに

本書では、美術史や哲学、美学が持つ叡知と照らし合わせ、〝今〟という時代に必要とされるべき同時代表現が何であるのかを見極めつつ、社会との関係性についても、あらゆる事象を精査した上で慎重に考察を進めています。例えば、レオナルド・ダ・ヴィンチの作品が、500億円以上で落札されたことにも明確な理由が存在しています。それは、作品に対する美学、美術史的な価値だけではありません。貴重な文化遺産の世界分布状況や、エネルギー資源を巡る環境変化、更には軍需産業の伸張とも関連しているからです。

ここ数年、ニュースのヘッドラインを飾ることが多い、アラビア半島を中心としたイスラム圏の情勢については第3章で詳述します。また、第2章では〝一筋縄ではいかない〟隣人であり、今後も経済的な結び付きは、更に強まると予想される中国を取り上げました。また、安全保障上のパートナーであり最大の貿易相手である米国や、新興著しいアジア諸国の動向に関しては全編に亘り言及しています（図表1）。

最近では、先行き不透明な時代に対する必須の思考法として、従来の「サイエンス（科学≒理論・理性）」に加え、「アート（芸術≒感性・直観）」を重視する風潮が強まっています。勿論、後者を否定するつもりはありません。しかし、優れた現代アートであればあるほど理論的であり、どちらかといえば感性や直観からは程遠いといっても過言ではないでしょう。それは、コンセプチュアルな作品の数々で、現代アートの祖と認識されているマルセル・デュシャン

（Marcel Duchamp, １８８７～１９６８年）の「クールベ（Gustave Courbet, １８１９～１８７７年）以降の絵画は網膜的になった（見ることの快楽にのみ、関心が向けられている）」という批判的な発言からも明らかです。

そこで、アート作品については勿論のこと、アートと社会のグローバルな相互関係についても、論理的且つ様々なデータ分析から定量的に繙くことを極力心掛けました。

アート及び文化が担う日本の未来

他方、日本が抱える社会的な問題に対する、アートや文化による解決視点に関しても言及しています。例えば、経済規模の縮小や社会保障制度の持続可能性を危うくする「少子高齢化」については、世界に先駆けて積極的に

（図表 1）　現在、売上高が大きい国・地域　今後、売上高の拡大が見込まれる国・地域　（%）

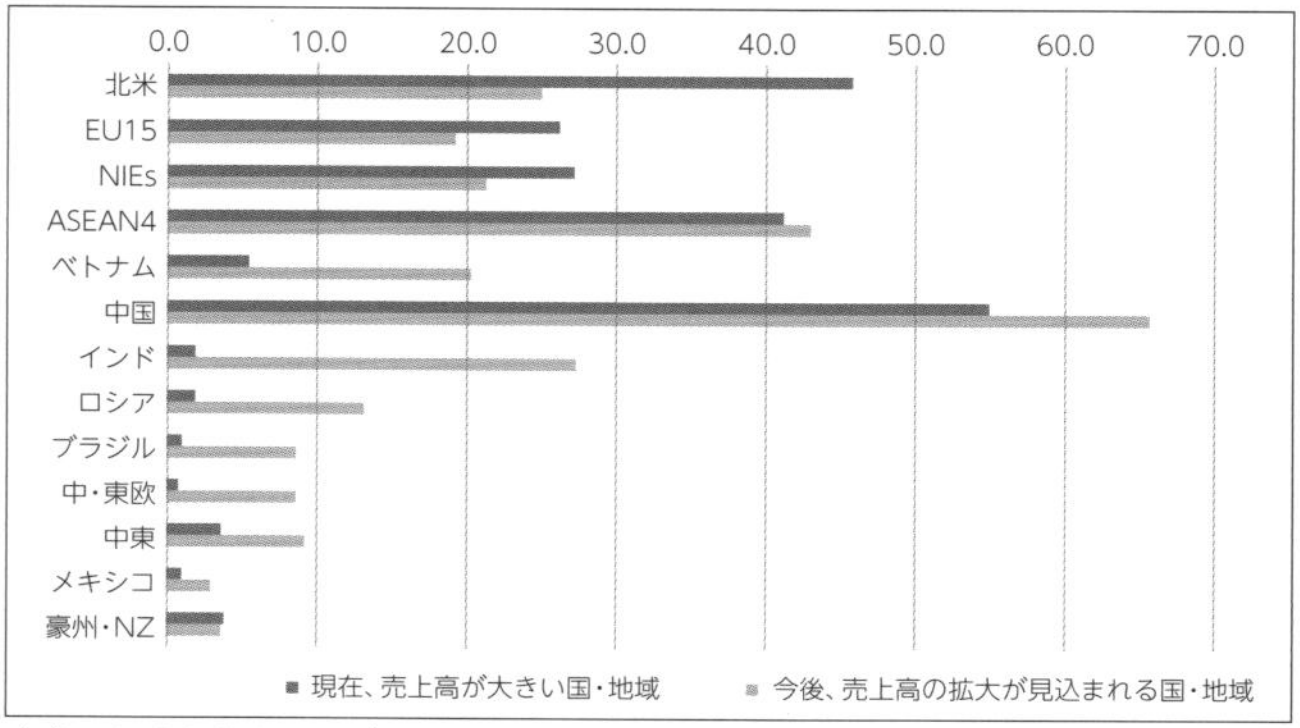

出典：経済産業省　我が国企業を巡るグローバル競争の現状
資料：財団法人国際経済交流財団（2008 年）
「グローバリゼーションが世界及び日本経済に与える影響に関する調査研究」

取り組んでいかなければなりません。このまま、出生率が低い東京圏への人口流入が続けば、4分の1以上の地方自治体で、従来通りの行政機能維持が困難になると予想されています。[※2]

前述のような課題に加え、AIが人間を超える「シンギュラリティ」や「ポスト資本主義時代」を考えた時、日本の将来に向けてアートや文化が果たす役割は決して小さくありません。そして、経済産業省が「文化産業立国」、文部科学省が「文化芸術立国」といった政策を掲げていることからも、我が国が進むべき大きな方向性とも合致していると考えられます。

いまや、ゲーム、アニメは言うに及ばず、先端的なビジネスの一部でさえも広義のアートに包含されています。従って、前述の通り同時代性の有無が、優れた「現代アート」と、単に現在制作されただけの「現在アート」を分ける鍵となります。[※3]つまり、ファイン・アート（純粋芸術）やサブカルチャー、あるいはコンテンツ・ビジネスといった、カテゴリーに関する論争は本質的問題ではないことを意味しています。こうした点を踏まえつつ、本書では、大阪・関西万博＋IR（統合型リゾート）施設や、全国に点在する地方美術館の有効活用などを通じ、具体的な可能性についても考察・検証しています。

さて、世界に目を転じれば、アートや文化を巡る主導権争いは、ますます苛烈を極めています。

米国は、第二次世界大戦後にヨーロッパから奪取した、「文化の盟主」という地位を、易々と手放したりはしないでしょう。また、中国は2000年代に入り、官民挙げて自国の近・現代アートを国際的に価値付けすべく奮励努力しています。このことは、ある意味で「文化の一帯一路」[※4]といえるかもしれません。今、次世代技術競争だけでなく、文化の領域でも米中の摩擦が生じており、そうした傾向はアートの市場占有率にも現れています（図表2）。

また、幼い頃から徹底的な反日教育を行っている中国と韓国で、アニメ『ドラえもん』やチームラボによる『学ぶ！　未来の遊園地』は圧倒的な人気を誇っています。こうした作品が発揮するパブリック・ディプロマシー[※5]効果は、どんな優秀な文化大使や外交官でも凌駕することは不可能です。

（図表 2）主要各国のアート市場占有率推移 2011 年 /2018 年　　(%)

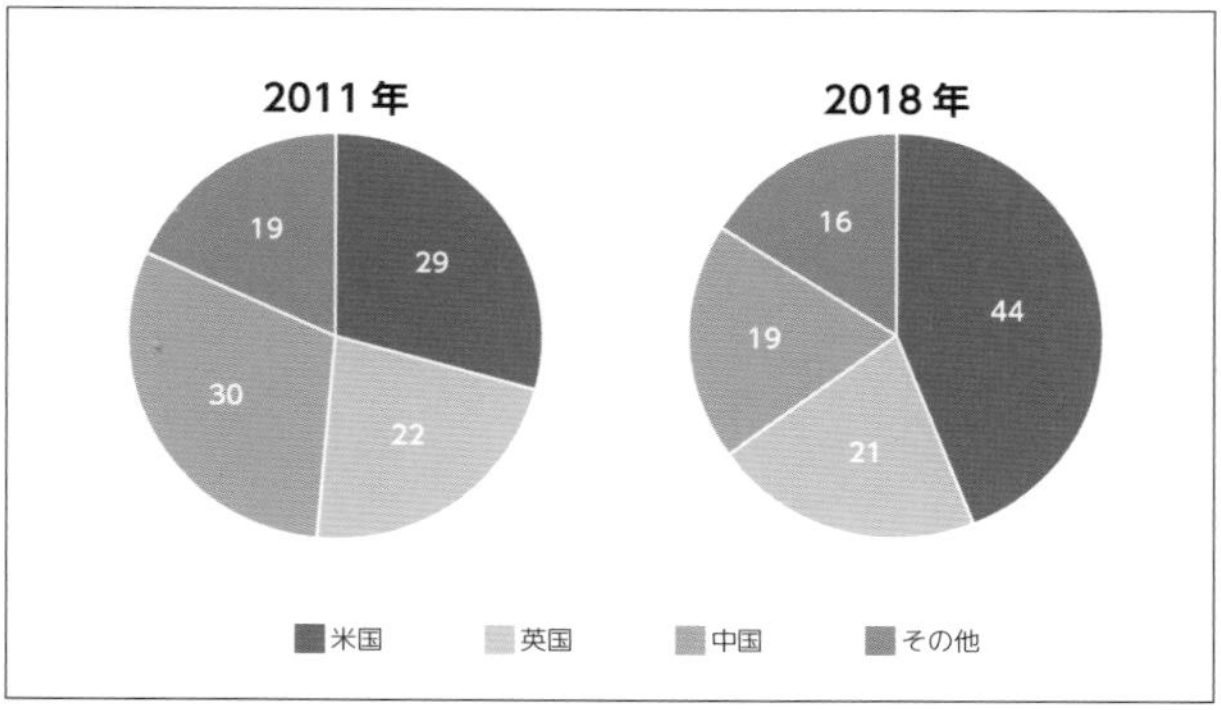

2011 年には、米国を若干上回っていた中国市場占有率も、ここ 1 ～ 2 年は縮小傾向となっています。
出典：Global Market Share of the US. UK. and China 2008-2018 ©Arts Economics 2019

世界で高く評価される〝ジャパニメーション〟は、《鳥獣戯画》（12〜13世紀）や《伴大納言絵巻》（12世紀）以来の、「時間（経過）概念の空間的表現」[※6]という伝統に裏打ちされています。加えて、日本初のアニメーション映画『凸坊新畫帖 芋助猪狩の巻』（下川凹天）が、デュシャンの《泉》（便器の作品）と同じ、1917年製作であったことは非常に示唆的であるといえるでしょう。そして、前出チームラボ最大の特徴は、最先端技術と日本古来の伝統的考え方の融合にあります[※7]。

冒頭でも触れたように、世界が独善的な方向に向かいつつある現在、私たちが古《いにしえ》から大切にしてきた「寛容性」や「多様性」は、その重要性をますます高めています。このことは、日本の「優れた文化や芸術」と「長い歴史と伝統」について、多くの人々が誇りに思っている点からも明らかで

(図表 3) 日本の誇り　　複数回答（%）

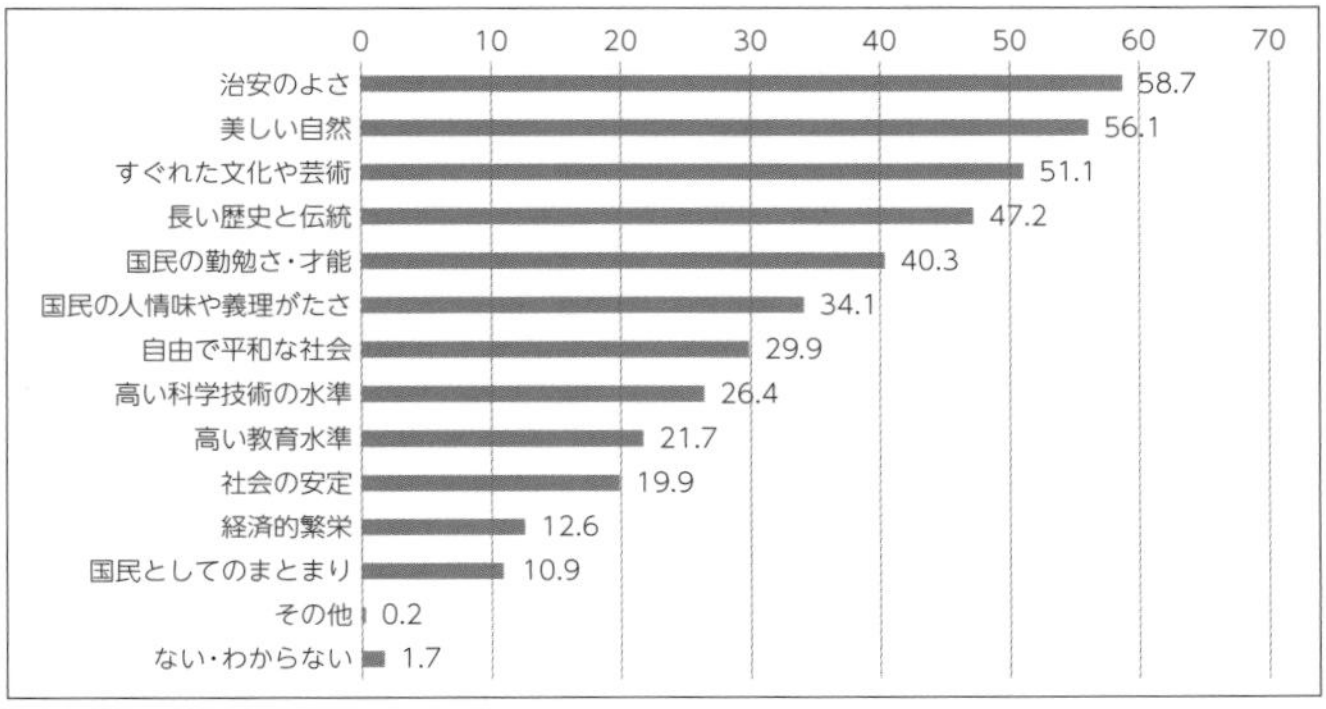

総数：N ＝ 5,993 人、M.T. ＝ 410.8%
出典：平成 28（2016）年度　内閣府 社会意識に関する世論調査

す（図表3）。『ドラえもん』や戦隊ヒーローに限らず、こうした思想を活かした「広義のアート」や文化施策の萌芽についても、本書では様々な事例と共に紹介しています。

文化による国益追求は国家の存亡を懸けた闘いであり、同時に熾烈な経済戦争でもあります。それはネット、新聞、TVで報じられる政治的なニュースや、読者の皆さんが日々鎬《しのぎ》を削っておられるビジネス活動とも非常に相似的です。

この本は、自らのアルゴリズム（問題解決の方法や手順、算法）によって、アート作品をはじめとするあらゆる図像から、〝ファクト（真実）〟を導き出せるようなスキルの涵養を目指しています。ですから、今まで取っ付きにくいからと「現代アート」を敬遠していた方にこそ、是非読んでいただきたいと思っています。

それでは早速、『脱石油・AI・仮想通貨時代のアート』とは、どのような世界なのか覗いてみましょう。

なお本書では、アートや先端技術などに関するリテラシーが、内容理解に影響を及ぼさないよう、各章末に詳細な註釈を付けています。また、外国語（外来語を含む）については、可能な限り（）内でその意味や、日本語表記についても併記（常用的に使われている語を優先表記）

していています。なお、文中に登場する人物は、全て敬称略とさせていただきました。

また、本書では、特に断りのない限り、外貨から日本円への換算は、当該事象発生当時の為替レートを適用しています。

本編脱稿後に生じた重要な出来事については、でき得る限り「追記」で触れるように努力しています。

※2018年12月に、金融庁は仮想通貨の呼称を暗号資産に改めると発表しました。変更の主たる理由として、仮想通貨の「通貨」という名称が、日本円などの既存通貨と混同されかねないことを挙げています。しかし、本書では世間一般に流布し、馴染みも深い「仮想通貨」を用いています。

※本書では、なるべく多くの画像、動画の掲載を試みましたが、契約の問題上、残念ながらご紹介できなかったものも少なくありません。各種サイト上に掲載・掲出されている画像、動画を検索・閲覧する場合、非公式・非合法のものについては十分注意の上、個人の責任でご覧ください。

※本書に記載のURLやQRコードは2019年12月現在有効のものですが、サイト・オーナーの都合で削除・閉鎖される場合があります。

はじめに　註釈

※1：不易流行：『不易』とは、時を越えて不変の真理をさし、『流行』とは時代や環境の変化によって革新されていく法則のことです。不易と流行とは、一見、矛盾しているように感じますが、これらは根本において結びついているものであると言えます。
以上について、日本俳句研究会のＷｅｂサイトから引用しています。
https://jphaiku.jp/how/huekiryuukou.html
２０１９年８月18日閲覧

※2：詳細は、内閣府「選択する未来」委員会：第2章　人口・経済・地域社会の将来像
(3) 人口急減・超高齢化の問題点をご覧ください。
https://www5.cao.go.jp/keizai-shimon/kaigi/special/future/sentaku/s2_3.html
２０１９年８月18日閲覧

※3：詳細については、拙著『現代アートを買おう!』(集英社新書) 3～5ページをお読みください。

※4：一帯一路：中国の習近平総書記によって提唱された経済圏構想で、具体的には「シルクロード経済ベルト」と「21世紀海洋シルクロード」を指します。アジアインフラ投資銀行などによるインフラ投資を拡大するだけでなく、中国から発展途上国への経済援助を通じた人民元の国際準備通貨化や、中国を中心とした世界経済圏の確立を目指しているといわれます。現在では、高利な融資に加え、財政健全及び透明性といったガバナンス並びにコンプライアンス欠如のため、莫大な債務を負わさ

れた途上国に対する、中国（国営企業）の土地占有（モルディブの島々）や港湾長期貸与（スリランカ第3位ハンバントタ港の99年間権利貸与）などが大きな問題となっています。

※5：パブリック・ディプロマシー：広報や文化交流を通じて外国の国民や世論に働きかける外交を指します。広報文化外交や対市民外交と呼ばれることもあります。

※6：一例として《伴大納言絵巻》で用いられている、「異時同図法」（当該作品の場合には、異なる時間に起こった3つの出来事＝シーンを、一場面の中に描いています）を挙げておきたいと思います。

※7：詳細については、拙著『アート×テクノロジーの時代 社会を変革するクリエイティブ・ビジネス』（光文社新書）48～57ページをお読みください。

第1章
金融商品としてのアート

第1章　金融商品としてのアート

1-1　世界一高額なアート作品

２０１7年11月15日に、レオナルド・ダ・ヴィンチの作品では最後の個人所有であった《サルバトール・ムンディ（救世主）》【図1】が、４億５０３１万２５００ドル（約５０８億円）の史上最高価格で落札されました。

これまでも、取引価格がおよそ2億５０００万ドル～3億ドル以上にも上るセザンヌ《カード遊びをする人々》や、約3億ドルといわれるゴーギャンの《いつ結婚するの》、そして落札価格1億7９４０万ドル（約２１０億円）のモディリアーニ《横たわる裸婦》など、印象派やエコール・ド・パリのアーティストによるマスター・ピースは、高額の一途を辿っていました（図表4）。それは、後述するように優れたアート作品は、極めて換金性の高い金融商品であると同時に、都市興しの切り札として欠かせないパワーを有しているからです。

５００億円の持つ具体的な価値といっても、中々想像できないと思いますので、一例を挙げ

図１
レオナルド・ダ・ヴィンチ
《サルバトール・ムンディ》
1490 ～ 1519 年頃
くるみ板に油彩　45.4 × 65.6cm

ておきます。東証一部上場企業は２０１９年初頭の時点で２１３０社にも上っていますが、今後は時価総額５００億円以上の企業に絞られていく予定です。そうなると、現在上場している半分以上の企業が、東証二部へ格下げされることになります。

その際、統合・合併などにより事業規模拡大が行われなければ、大半の地方銀行は降格処分になることが予想されています。このことは、ダ・ヴィンチ作品一点の価値が、日本の地方銀行一行分と同等かそれ以上であることを端的に示しています。

時は遡り１９９０年８月、当時サッダーム・フセイン政権であったイラクは、ルマイラ油田の帰属や原油価格の調整で揉めていた隣国クウェートに対し、10万人の機甲師団をもって突如として攻

（図表４）　2019年 歴代最高価格アート作品 TOP10 ＋α

No.	アーティスト名	作品名	落札額
1	レオナルド・ダ・ヴィンチ 1452-1519	サルバトール・ムンディ（救世主）	4億5,031万
2	ポール・ゴーギャン 1848-1903	ナフェア・ファア・イポイポ（いつ結婚するの）※	3億
3	ポール・セザンヌ 1839-1906	カード遊びをする人々	2億5,900万
4	パブロ・ピカソ 1881-1973	アルジェの女たち（バージョン“0”）	1億7,936万
5	アメデオ・モディリアーニ 1884-1920	横たわる裸婦	1億7,040万
6	パブロ・ピカソ 1881-1973	夢	1億5,500万
7	フランシス・ベーコン 1909-1992	ルシアン・フロイドの三習作	1億4,240万
8	アルベルト・ジャコメッティ 1901-1966	指さす人	1億4,128万
9	ジャクソン・ポロック 1912-1956	No.5	1億4,000万
10	ウィレム・デ・クーニング 1904-1997	女Ⅲ	1億3,750万
11	グスタフ・クリムト 1862-1918	アデーレ・ブロッホ＝バウアーの肖像Ⅰ	1億3,500万
12	エドワルド・ムンク 1863-1944	叫び	1億1,990万
参考1	ジェフ・クーンズ 1955-	ラビット	9,110万
参考2	デヴィッド・ホックニー 1937-	芸術家の肖像画 - プールと２人の人物	9,030万

単位：米ドル　筆者作成
※オークションではなく、相対取引
参考１・２：現存アーティスト最高落札記録

め込みました。それからおよそ6時間後には、全土を占領するに至り、同国のジャービル3世首長はサウジアラビアへと亡命しました。では、脱出する時に、ロイヤル・ファミリーがプライヴェート・ジェットに積み込んだ財産とは、一体何であったのでしょうか？　ちなみに小型の飛行機は、重い積荷でバランスを崩すと離陸できなくなります。ですから、1グラム当たり最も高価なものしか運び込むことができません。例えば金は1グラム当たり4566円（2019年1月現在）[※1]ですから、1億円分で22キログラムと想像以上の重量です。

答えは、市場価値が極めて高い巨匠のマスター・ピースや、大粒のダイヤモンドなどです。前述の《サルバトール・ムンディ》のサイズは、縦65・6×横45・4センチメートルで、重さは額を除けばせいぜい700〜800グラム程度でしょう。すると、単純計算で、1グラム当たりの価値はおよそ6000万〜7000万円となります。一方508億円分の金であれば11トン以上、日本円の現金であれば、1万円札508万枚で5トン以上となり、持って逃げることはまず不可能です。

ちなみにダイヤモンドの最高価格は、5億5300万香港ドル（約79億円）になります。それは、2017年4月サザビーズ香港で落札された59・6カラットのピンク・ダイヤモンドで、美術品を含みこれまでアジア圏で出品された、全オークション・アイテムにおける最高値を記録しています（それまでの高額記録は、2013年10月サザビーズ香港で落札された、曾梵志

（ゾン・ファンジ）作《最後の晩餐》の約23億円でした）。ダイヤのサイズは、縦2・69センチメートル×横2・06センチメートル、重量は11・92グラムであるため、1グラムあたりの価値はおよそ6・6億円に相当します。

いずれも、唯一性が価値の源泉であり、また、非常に小型で軽量です。つまり、ダイヤモンドを手荷物に紛れ込ませるように、コンサベーター（美術品の保存・修復専門家）の手を借り、木枠からはずしたキャンバス作品であれば、数十億から数百億円分の価値を、誰にも知られることなく、国外へと運び出すことも決して不可能ではないのです。

例えば、インターネット・バンキングはもとより、ＡＴＭや銀行窓口を問わず、全ての送金はデータとしてネットを経由する時点で、誰かに監視されていると考えて間違いないでしょう。また、いわゆるタックス・ヘイブン（租税回避地）を利用した課税逃れも、パナマ文書[※2]のようにデータが漏れれば、匿名性を担保することはできません。

一方で、アート作品は他の金融商品と異なり、商品が現物であり、債券化やデータ化が非常に困難な点が大きな特徴です。ですから、時として国際的なマネー・ロンダリング（資金洗浄）に、利用されていることも珍しくありません。それは、長く行方不明となっている名画が少なくないことからも明らかです。

もっとも、商品の債券化、データ化が難しいことは、投資する側にとっては大きなメリットになります。なぜなら、株式売買における空売り[※3]のような、価格抑止行為が働かないからです。また、インサイダー取引に関する規制が、一切ないことも特筆に値します。

若手アーティストのヴェネツィア・ビエンナーレやドクメンタ[※4]への参加や、ニューヨーク近代美術館（MoMA）、テート・モダンのようなメジャー・ミュージアムによる作品購入、あるいは個展開催の決定といった情報は、彼らの作品価格を短期間で劇的に上昇させます。こうした情報は、秘匿性の高さとその重要性に応じて、ヒエラルキーに則り順次公開されていきます。耳の早い関係者の口に上った時点で、その情報価値は最早ほとんどないと考えて差し支えないでしょう。

オンライン・ファッション通販サイトZOZOTOWN創業者であった前澤友作社長（当時）が、2016年5月に開催されたクリスティーズ・ニューヨークで、ジャン＝ミシェル・バスキアの《Untitled（無題）》を5700万ドル（約62.4億円）で、翌2017年5月にはサザビーズ・ニューヨークで、やはりバスキアの《Untitled（無題）》を1億1050万ドル（約123億円）で落札し、大きな話題となりました。

彼が2点を入手した前後数年間に亘るバスキア作品落札記録を調べれば、同等サイズの作品が、それらと比べてかなり低い価格で落札されている事実がわかります。勿論、ユニーク・ピース（一点もの）である絵画作品は、複数の入札者が競う場合、市場価格やオークション会社が設定したエスティメート（落札予想価格）を大きく超えることはままあります。しかし、当時少なくない業界関係者の間では、「高値でつかまされた」「カモにされた」と語られていました。果たしてどちらの言い分が正しいかは、5年、10年と時間が経ってみないとわかりません。

しかしながら、バスキア作品を落札して以降、名品の売却や価格上昇に直結するインサイダー情報の数々が、第一優先で彼の元にもたらされていることだけは、想像に難くありません。加えて、世界のリーディング・コレクターとして認知されたことで、同じく著名なコレクターとしても知られるオスカー俳優であるレオナルド・ディカプリオが自ら会いに来るなど、様々な情報的価値を考えれば、およそ123億円は案外お買い得であったのかもしれません。

さて、マーク・ロスコの「ロスコ・ルーム」で知られる千葉県・佐倉市のDIC川村記念美術館は、新たな収集方針の策定に伴い、2017年12月に日本画作品の公開終了と展示室改修、並びに収蔵作品の全点譲渡売却を発表しました。その中でも特に注目を集めていたのが、重要文化財に指定されている長谷川等伯作《烏《う》鷺《ろ》図《ず》屏《びょう》風《ぶ》》でした。結果的に、同作品が前澤前社長に譲渡されたことも、ある種バスキア効果の表れであったのかもしれません。

なお、同美術館のコレクションは、財団ではなく企業（DIC株式会社 旧社名：大日本インキ化学工業）所蔵であるため、その譲渡売却は比較的容易であるといえます。2013年には、米国抽象表現主義の代表的アーティストであるバーネット・ニューマンの大作《アンナの光》

を103億円で手放し、同社のバランス・シートを劇的に改善させた過去を持っています。[※5]世界のアート市場は今、空前のブームに沸いており、絵画作品に10億ドル（約1070億円）の値が付くのは、早晩時間の問題であるとみられています。[※6]

その反動からか、機会（アーティストのキャリア形成につながる機会提供）や理解（作品に対する深い理解や情熱）、そして交換（作品と交換可能なモノやサービスの提供）など金銭以外の方法でも入札可能な《ポスト資本主義オークション（Post Capitalistic Auction）》（2018年〜）[※7]といった新しい試みもはじまっています。

1-2　市政を左右する文化財の時価総額

2013年7月、米国ミシガン州デトロイト市は連邦破産法9条の適用を申請し、事実上の財政破綻状態となりました。自動車産業の没落にリーマンショックが追い打ちをかけ、最大約185万人であった人口も、2012年には約70万人まで大幅に減少。税収の落ち込みから、街は荒廃し切っており、負債総額は180億ドル（約1兆7500億円）を超えていたといいます。

市の財政再建を指揮する緊急財務管理者は、あらゆる市有資産を洗い出す中で、デトロイト美術館【図2】のコレクションに注目し、売却を検討します。この時に、オークション会社な

図２
デトロイト美術館
写真提供：デトロイト美術館

どが試算した売却対象アート作品の総額は、１００億～２００億ドル（約９７００億～１兆９５００億円）相当であったといわれています。※8
　同館は１８８５年の開館以来、自動車業界の有力者らによる資金援助を得て、古代エジプトから現代まで６万５０００点以上の優品を所蔵。米国でゴッホやマティスの作品を初めて購入した公共美術館としても有名であり、世界中から訪れる来館者は年間約60万人に達していました。同国史上最大規模の自治体破綻を救出できるだけの価値を有する質と規模のコレクションには驚きを禁じ得ませんが、市民の約８割が反対したことを重く受け止め、売却方針は撤回されます。結果的には、市民の寄付に国内外からの資金援助を加え、収蔵作品を１点も欠くことなく、同館は非営利独立法人として存続することになりました。
　デトロイト市の件は、文化に対する市民の深い愛情に加えて、破綻から復興へのシンボルとして美術館とそのコレクションが非常に大きな役割を果たしていたことがわかります。他方、経済的な観点から見れば、売却によるワンタイムの収入より、継続的な観光収入や経済波及効果が望める、美術館存続によるサブスクリプション※9を選択したと考えることもできます。

それから5年が経ち、雇用回復を掲げたトランプ政権の国内工場誘致に対する優遇制度や、企業法人税の減税といった経済政策によって、米国の自動車産業は息を吹き返しつつあります。そうした動きに伴い、ＡＢＢや川崎重工業、ファナックの研究開発・製造拠点も同市に置かれたことから、今では全米有数のロボット産業都市にまで成長しています。こうした状況を反映し２０１７年11月デトロイト美術館の中に、新たなジャパン・ギャラリーもオープンしています。

実は似たような逸話が、およそ50年前にスイスのバーゼルでも起こっています。１９６７年バーゼル市立美術館が、著名なコレクターのペーター・シュテッヒェリンから借用展示していた2点のピカソ作品《二人の兄弟》と《座るアルルカン》は、所有者の財政的理由により海外に売却されると発表されました。

若者を中心とした市民の強い反対から、シュテッヒェリン財団とバーゼル・シュタット準州政府の間で話し合いが持たれ、財団は８４０万フラン（約10億円）で、2点の絵画を州政府に譲渡することを決めました。購入に当たっては州の予算から６００万フランを拠出し、残りの

２４０万フランを一般からの寄付で補うことを州議会も圧倒的多数で可決。このままスムーズに事が運ぶものと、誰もが考えていました。ところが、反対派が州議会の決定について是非を問うレファレンダム[※10]を提議したことで、街は二派に分かれて争うことになったのです。

若者を中心とした推進派は、ビートルズのヒット曲『愛こそはすべて（All You Need Is Love）』をもじった、「ピカソこそはすべて」といった熱烈なスローガンを掲げて運動を展開。そうした作戦が功を奏してか、寄付額は目標を上回り２５０万フランが集まり、また、有権者の大多数も購入に賛成票を投じました。

この話には、美しい後日談が存在しています。ニュースを聞いたピカソ本人が、作品に対する市民の熱い思いに感動し、本人が所蔵する作品の中から、どれでも3点をプレゼントするとバーゼル市に申し出たのです。市民が守った名画と、その心意気に動かされたアーティストから寄贈された作品は、今では「バーゼルの奇跡」と呼ばれ、美術館そして市民の誇りとして同館で展示され続けています。[※11]

ちなみに尋常ならざる因縁を感じさせますが、冒頭でご紹介したゴーギャン作《いつ結婚するの》は、２０１４年9月にシュテッヒェリン・ファミリーによって売却されるまで、バーゼル市立美術館におよそ半世紀もの間貸し出されていたものでした。ピカソは残りましたが、残念ながらゴーギャンは去っていきました。アート作品は、常に経済が隆盛を極めているところに集まるからです。

なお、同地はスイス第三の都市ですが、次節で詳述する世界最高峰のフェアであるアート・バーゼルが毎年開催される、世界的なアートの中心地でもあるのです。

1－3　代理戦争としてのアート・フェア

大型船舶が通航可能なライン川最上流港を有し、ドイツとフランス、そしてスイスの3ヶ国が国境を接する地点に位置する都市バーゼル。同地は、永世中立国スイスにおける交通の要衝にあるため、1930年以来、各国中央銀行間の協力を目的とした、国際決済銀行の本部が置かれています。

また、近世に織物工業や製紙業が盛んであったことから、染料や薬剤を生産する化学工業が早くから発達し、世界的な製薬企業であるノバルティスやロシュは、現在も同地に本社機能を有しています。

そして、毎年春に開催される世界的な宝飾品と高級時計の見本市であるバーゼル・ワールドや、初夏（6月）の風物詩ともなっているアート・バーゼルをはじめとし、多くの見本市や博覧会が開催されています。加えて、同市及びその近郊には30軒を超える美術館や博物館が存在しており、中でも1661年に創立された世界最古の公共美術館といわれるバーゼル市立美術館と、スイスで最も多くの入館者を集めるバイエラー財団美術館（1997年設立）は、世界的に広く知られています。後者は、長くギャラリーを経営し、敏腕ディーラーとして名を馳せたエルンスト・バイエラーとその妻・ヒルディが蒐集した約200点のコレクションを所蔵・展示する美術館です。

同館は、空調ダクトなど全設備を床下に設置し、幾重ものガラス・スクリーンを透過・反射させることで、全ての部屋に優しく均一な自然光が入るように細心の注意が払われています。設計したのは、関西国際空港・旅客ターミナルビルや、リチャード・ロジャースと共にパリのジョルジュ・ポンピドゥー国立芸術文化センターを手掛けた、イタリアを代表する建築家レンゾ・ピアノです。

そのバイエラーが2名のギャラリストと共に、

図３
アートバーゼル　バーゼル

Courtesy Art Basel

1970年に設立したのが2020年で50周年を迎えるアート・バーゼル【図3】です。アート・フェアの黎明期から、そのポジションを確固たるものとした同フェアがより大きな飛躍を遂げることになったのは、1994年にUBSがリード・パートナーとになった時からです。それ以来、同行はバーゼルのみならず、2002年からはアート・バーゼル マイアミ・ビーチ（12月）、そして2013年以降はアート・バーゼル 香港（3月）を含めて包括的に協賛し続けています。

UBSはスイスのチューリヒとバーゼルに本拠を置く世界最大級の銀行であり、グローバルな金融持株会社です。同グループが行っている主な業務は、投資銀行、証券、そして富裕層向けのウェルス・マネジメント※12であり、これら全事業領域において世界有数の地位を占めており、その運用資産は1・7兆スイスフラン（約155兆円）に上るといわれています。

一方、毎年10月にロンドンで開催されているのは、フリーズ・アート・フェア【図4】です。このアート・フェアは、2003年にアート専門誌「フリーズ・マガジン」により初めて開催され、その後2012年からはフリーズ・ニューヨーク（5月）、2019年にはパラマウント・ピクチャーズ・スタジオでフリーズ・ロサンゼルス（2月）も開かれるようになり、国際的アート・フェアとして、いまやアート・バーゼルに肩を並べつつあります。同フェア（ロンドン）の特徴は、古美術と評価の確立した近・現代アートの巨匠にフォーカスした「フリーズ・マスターズ」と、エッジの利いた現代アートに特化した「フリーズ・ロンドン」という二つのセクションで構成されている点です。会期中は、王立リージェンツ・パーク内の５０００平方メートルを超える広さの会場に、７万人近い来場者が詰めかけ大いに賑わいます。

同フェアのグローバル・リード・パートナーは、フランクフルトに拠点を置くドイツ最大の銀行グループであるドイツ銀行（Deutsche Bank）が務めています。同行は総資産1兆３４８０億ユーロ（約１６８兆円）を誇り、１９９５年以降その事業主軸を商業銀行から投資銀行へと移しています。

両行は決してＣＳＲ（企業の社会的責任）の観点からのみ、アート・フェアを支援しているわけではありません。世界中から富裕層が集まる一流のフェアは、売買や保険、送金、作品輸送のサポート、更には新規顧客の開拓に至るまで、彼らにとって真剣なビジネスの場といえます。また、ＵＢＳは3万５０００

図４
フリーズ・ロンドン
Photo Courtesy of FRIEZE

点超、ドイツ銀行もおよそ5万6000点のアート作品をコレクションしていることでも知られています。それらはブランディング向上や、社員の福利厚生面（作品の社内展示）でも重要な位置付けを占めているだけではなく、中国における不動産投資と同レベルのリターンさえもたらしているのです。

彼らにとっては、正に「アートほど素敵な商売はない」といえるでしょう。従って二つのアート・フェアは、世界的なメガバンクによる代理戦争の場でもあるのです。

なおドイツ銀行は、マイナス金利導入による利ざやの急激な減少や高騰する人件費などにより、2015年から2017年まで3期連続の最終赤字に陥っています。2018年には、ようやく黒字転換したものの、ライバル行に比べると収益力の見劣りは否めません。現在は、ドイツ国内2位のコメルツ銀行との統合交渉や、大胆なリストラを進めているようです。[※13]

ドイツ銀行がその経営基盤強化策の一環として、もしも保有するコレクションを売却するようなことがあれば、アート市場に対する影響は決して小さいものではないでしょう。

歴史を彩ってきた名作の数々は、人類の叡知を集めた文明そのものといっても過言ではありません。しかし、その一方でアート作品は古くから、高額な金銭と等価交換されてきた金融商品としての側面もまた有しているのです。

追記

その後、２０１９年４月には、ドイツ銀行とコメルツ銀行の統合交渉が、破談になったと発表されました。

１-４　都市興しの切り札

変化が激しい現代社会では、世界中の至る所で地域の勃興と衰退が繰り返されています。フランスとスペインに跨るバスク地方は、独自の文化・言語を持ち、バスク・ナショナリズム運動に代表される独立の気風を有しています。スペイン内戦（１９３６～１９３９年）[※14]では、自治権を求め人民戦線側に就いたバスク及びカタルーニャ両地方に対して、バスク語、カタルーニャ語の公的な使用を禁じるなど弾圧を強めたため、ＥＴＡ[※15]をはじめとする反政府テロ組織の結成を招いてしまいました。ちなみにピカソの傑作《ゲルニカ》（１９３７年）は、内戦下でフランコ軍を支援するドイツ空軍により無差別爆撃を受け、廃墟と化したバスク地方の街ゲルニカを描いたものです。

内戦終結後は、フランコ独裁政権の終焉を経て立憲君主制へと移行する中で、良質な鉄鉱石とそれを積み出すビルバオ港によって鉱業、製鉄、造船、貿易が盛んとなり、同地は繁栄を極めていきます。しかし、1980年代に入るとナショナリズム高揚に付随したテロリズムの横行と、国外の廉価な労働力に起因する産業の空洞化により、地域経済は壊滅的な危機を迎えることになります。

その危急存亡を救ったのは、1997年10月に開館した、米国グッゲンハイム美術館の分館にあたるビルバオ・グッゲンハイム美術館【図5】でした。同館設計はカナダ出身の建築家フランク・ゲーリー（Frank Owen Gehry，1929年〜）[※16]によるもので、チタニウム合金による鱗をまとった巨大な魚のような外観

図5
ビルバオ・グッゲンハイム美術館

写真提供：ビルバオ・グッゲンハイム美術館

は大きな話題となりました。バスク州政府から1億ドル（約116億円）の建設費用を受け、航空力学用モデリング・ソフトを駆使して構造計算された建物は、不規則な形状とスムーズな曲線が融合し、およそこの世のものとは思えない威容を誇っています。さもありなん、ゲーリーはデザインする時に、ピカソのキュビスム時代を代表する作品《アコーディオン奏者》（1911年）から大いにインスパイアされたと語っています。

度肝を抜かれるのは、その展示作品についても同様です。玄関前に鎮座するジェフ・クーンズ（Jeff Koons, 1955年〜）《パピー》は、タイトルこそ子犬ですが、高さ12・4mの金属製骨組みに様々な花を植え込んだ巨大なトピアリー彫刻です。[※17]また、天井高50メートルのアトリウムとフロアをつなぐジェニー・ホルツァー（Jenny Holzer, 1950年〜）の電光掲示柱《ビルバオのためのインスタレーション》（1997年）には政治的なメッセージが流れ、長さ102メートルにも及ぶリチャード・セラ（Richard Serra, 1938年〜）による鉄製彫刻《スネーク》（1994〜1997年）は、圧倒的な存在感を放っています。

こうした斬新なスペースや展示が功を奏し、開館1年目には136万人を集め、5年間で入館者は総計515万人にも達しています。その内訳は、海外からの観光客がおよそ6割を占め、経済波及効果は5億ユーロ（約720億円）にも上りました。また、美術館を中心としたウオーター・フロント地区には、フランス人アーティストであるダニエル・ビュランがリデザインしたサルベ橋や、磯崎新設計のイソザキ・アテア、更にはフィリップ・スタルクによってリノベーションされた複合文化施設などが次々と建設され、更なる活況を呈しています。

結果的にビルバオは、製造業から観光・サービス業への転換を成し遂げ、ビスカヤ県のGDP（県内総生産）を従来比3億ユーロも増額､結果的に6億5500万ユーロ（約945億円）へと押し上げていったのです。世界で最も成功した文化による都市興しは「グッゲンハイム効果」と呼ばれ、今も多くの自治体から羨望の眼差しを集めています。

日本にもビルバオと同様の成功事例は、いくつか存在しています。瀬戸内海に浮かぶ直島は、1917年に三菱金属鉱業（現・三菱マテリアル）の銅製錬所を誘致しました。亜硫酸ガス煙害により、島の北半分は木々が枯れハゲ山となってしまいましたが、企業城下町として人口の増加と一定の豊かさを実現していました。しかし1960年代中頃から、金属製錬事業の高度化と並行して合理化が進み、同社の従業員数や島の人口が減少し続けると共に、銅の国際価格下落により製錬事業そのものが低迷するようになります。※18

一方豊島《てしま》では、1990年に戦後最大の産廃不法投棄が起こり、「ゴミの島」と呼ばれ長く風評被害に苦しめられていました。かつては3600人ほどの同島人口も800人前後にまで減り、高齢化率は55％を超えていました。

こうした直島諸島の惨状を救ったのが、ベネッセハウス、家プロジェクト、地中美術館（以上、直島）や、豊島美術館、心臓音のアーカイブ（以上、豊島）、犬島精錬所美術館、家プロジェクト（以上、犬島）などから成るベネッセアートサイト直島でした。美術館やその関連イベント及び瀬戸内国際芸術祭は、世界中から観光客を誘致し、雇用を創出。若者の移住促進などによって、現在では、過疎化からの脱却に明るい光が差しつつあります。[※19]

また、２００４年10月に開館した金沢21世紀美術館【図６】は、開館後１年間で金沢市の人口46万５０００人[※20]の３倍以上にあたる１５０万人の集客を達成。その後も年間入館者数は１３０万〜１７０万人で推移していましたが、北陸新幹線の開業を受け２０１５年度は２００万人を突破、

図６
金沢 21 世紀美術館　写真提供：金沢市

2016年度には過去最高となる255万人[※21]を記録しています。

人気の秘密は、ビルバオ・グッゲンハイム美術館と同様、美術館の建築と他にはない展示作品にあるといえます。正面も裏側もない円形の交流ゾーンの中には、様々な大きさの立方体展示室が点在しています。全ての外壁が曲面ガラスであるため、非常に開放的であり、内と外にいる者同士が、互いの様子や気配を感じ取ることを可能にしています。これほどまでに透明で開かれた建築物は、今後も現れないのではないでしょうか。設計したのは、建築のノーベル賞といわれるプリツカー賞をはじめ、数多くの受賞歴を誇る妹島和世＋西沢立衛のSANAA[※22]です。

水で満たされているように見えるプールが、実は透明ガラスの上に数センチ水が張られているだけで、その下には人が入れるレアンドロ・エルリッヒ（Leandro Erlich, 1973年～）の《スイミング・プール》（2004年）。あるいは、正方形に切り取られた天井口から、変わり続ける空を眺め続けるジェームズ・タレル《ブルー・プラネット・スカイ》（2004年）のような、体験型の恒久設置作品が幅広い層に受け入れられた点が大きかったものと思われます。

バスク州政府はビルバオ・グッゲンハイム美術館に対し、1億ドル（約116億円）の建設費用と5000万ドル（約58億円）の新規作品購入費用を負担し、およそ5億ユーロ（約

720億円）の経済波及効果を得ています。そして金沢21世紀美術館は、用地取得などを含めた総建設費が約200億円（うち美術館部分そのものの建設費は約81億円）、年間の維持運営費が指定管理者への運営費のみで7億6000万円、その他の費用を加えれば10億円を超えるといわれています。一方で、その経済波及効果は、建設投資が217億円、来館者消費が毎年およそ104億円にも達しています。※23

都市開発に掛かる費用は、横浜ランドマークタワー（1993年）2700億円、名古屋駅JRセントラルタワーズ（1999年）2035億円、六本木ヒルズ（2003年）3950億円（タワー＋ビル群）などいずれも1000億円単位の大型プロジェクトです。これらと比較した時に、如何にアートが最小投資で最大効果を得られる「都市興しの切り札」であるのか、ご理解いただけたものと思います。しかし、輝かしい成功事例の陰には、常に数多い失敗が存在していることもまた事実です。

第1章では換金性の高い金融商品であり、また、都市興しの切り札として欠かせないアート（作品）の特性について述べました。次章では、いまや世界第2位の経済大国へと上り詰めた、「赤い資本主義」と呼ばれる中国のアート事情についてご説明していきたいと思います。

追記

現存アーティスト最高額となったデイヴィッド・ホックニー（David Hockney，1937年〜）の《芸術家の肖像画―プールと2人の人物》（1972年）が9031万ドル（約102億円）で落札（クリスティーズ・ニューヨーク2018年11月17日）されてから、わずか半年後の2019年5月15日クリスティーズ・ニューヨークで、その記録は9101万ドル（約109億円）へと更新されます。話題の作品は、ジェフ・クーンズ（Jeff Koons，1955年〜）による《ラビット（兎）》（1986年）でした。

同作品が制作された当時の米国は、大規模な減税と産業界の規制緩和、軍事支出の増大を組み合わせた「レーガノミックス」により、長い景気低迷から脱却し再び隆盛へと向かっていました。当時の世相を反映した、映画『ウォール街』（1987年）が大ヒットしたことはその証左といえるでしょう。「兎」は古くから美術史の中で、「多産」「豊穣」「性」の象徴として描かれてきました。また、像の鏡面仕上げは、常に鑑賞者のみならず展示スペースと、それらが有する（美術館という）特権や政治性、更にはその時代精神までも映し出すことができます。

こうした同時代性や美術史的な評価のみならず、アート市場でもこの109億円が決して法外ではなかったことを証明しています。なぜなら、今を遡ること6年前の2013年11月12日クリスティーズ・ニューヨークでは、クーンズによる《バルーン・ドッグ（オレンジ色）》（1994〜2000年）が、5840万ドル（約58億円）で落札されているからです。この作品は、色違いで他にブルー、マゼンタ（ピンクに近い赤紫色）、レッド、イエローが制作されており、それぞれをロサンジェルスに自らの巨大美術館「ザ・ブロード」を有するブロード夫妻、ケリング（旧グッチ・グループ）のオーナーであるフランソワ・アンリ・ピノー、海運、ホテル・チェーンなどを経営する世界的コレクターのダキス・ヨアヌー、そして資産数兆円と噂される伝説的な投資家スティーブ・

コーエンがコレクションしています。

このことは、第3章で詳述する、セザンヌ作品と同様の価値評価システム（92～93ページ）が働いていることを示しています。類型作品（一説によると3体ほど）が限られ、加えてネオ・ジオ[※24]あるいはシミュレーショニズム[※25]を代表する記念碑的な作品であれば、今回の落札価格もさして不思議ではないはずです。

第１章　註釈

※１：田中貴金属工業 貴金属価格情報によります。
https://gold.tanaka.co.jp/commodity/souba/index.php
２０１９年３月１日閲覧

※２：パナマ文書：パナマの法律事務所「モサック・フォンセカ」から流出し、２０１６年４月に公表された機密の金融取引文書。国際調査報道ジャーナリスト連合が、膨大な内部文書１１５０万点を入手・検証し、結果を公表。以上については、コトバンクを参考にしました。
https://kotobank.jp/word/パナマ文書-1726797
２０１９年３月２日閲覧

※3：空売り：投資対象である現物を所有せずに、対象物の（将来的な）売却契約を結ぶ行為。対象物の価格が高騰し、今後下落が予想される局面で空売りを行い、予想通り価格が下がったところで買い戻して利益を得ます。

※4：ヴェネツィア・ビエンナーレ：イタリアのヴェネツィアで1895年から開催されている現代アートの代表的な大型国際展。奇数年（2年に一度）の5～11月に開催されます。参加国パビリオンが激しい賞レースを展開することから、「美術のオリンピック」とも呼ばれています。
ドクメンタ：第二次世界大戦の空爆で荒廃した、かつての東西ドイツ国境付近に位置する街カッセルで1955年以来、5年おきに行われている大型国際展。ヴェネツィア・ビエンナーレと並び、アート界の動向に与える影響力が最も大きいといわれています。

※5：長谷川等伯作《烏鷺図屏風》譲渡の経緯については、「前澤友作　千年前に生まれた美も、これから生まれる美も、等しく愛おしい」雑誌『目の眼』2018年5月号（株式会社目の眼）16～23ページを参考にしました。
また、DIC川村記念美術館の《アンナの光》売却に関する詳細は、拙著『現代アート経済学』（光文社新書）2014年、27～28ページをご参照ください。

※6：フランスのアート市場大手情報関連サービスであるArtprice社の2017年報告書によります。

※7：ポスト資本主義オークション：ノルウェーのベルゲンを拠点に活動するジンイ・ワン（Jingyi Wang, 1984年中国・北京生まれ）によるプロジェクト。2018年3月16日第1回がベルゲ

ンで行われています。日本でも２０１９年2月14日にＴＰＡＭ（国際舞台芸術ミーティングin横浜）２０１９プログラムの一環として、横浜市開港記念会館で内覧会とオークションが行われました。筆者もアドバイザーの一人として参加しています。

詳細は下記の TPAM2019 公式Ｗｅｂサイトをご確認ください。

https://www.tpam.or.jp/program/2019/?program=post-capitalistic-auction

２０１９年3月2日閲覧

※８：「米デトロイト美術館、市の財政破綻で存続の危機」AFP BB NEWS　２０１３年10月28日を参考にしています。

http://www.afpbb.com/articles/-/3002238

２０１９年3月2日閲覧

※９：サブスクリプション：予約購読、購読料、会費、寄付（金）、出資（金）、応募、申込、加入、署名、承諾などの意味を持つ英単語。雑誌などの定期購読といった意味があり、ＩＴの分野ではこの意味を元に、会員制のサービスへの加入や、定期的に利用権を更新するソフトウェアの販売方式などを指すことが多いといえます。サービスへの課金方式として、一回あたりいくらという都度課金と対比して、契約期間中は利用し放題の定額課金のことをサブスクリプションということもあります。

出典：ＩＴ用語辞典 e-Words

http://e-words.jp/w/ サブスクリプション.html

２０１９年3月2日閲覧

※10：レファレンダム：政治に関する重要事項の可否を、議会の決定にゆだねるのではなく、直接国民の投票によって決める制度であり、直接民主制の一形態。
出典：コトバンク
https://kotobank.jp/word/レファレンダム-151904
２０１９年３月２日閲覧

※11：Stephanie Hess「スイスの直接民主制　バーゼルで起きたピカソの奇跡」SWI swissinfo.ch
２０１７年10月６日を参考にしました。
https://www.swissinfo.ch/jpn/直接民主制へ向かう/スイスの直接民主制バーゼルで起きたピカソの奇跡/43570980
２０１９年３月２日閲覧

※12：ウェルス・マネジメント：裕福な個人や一族に対し、事業承継、資本政策、資産運用アドバイスを含めた総合的なサービスの提供や、金融資産の管理代行を行うことです。

※13：「ドイツ銀、コメルツ銀と統合交渉　独政府が後押し」日本経済新聞　２０１９年３月10日を参考にしました。
https://www.nikkei.com/article/DGXMZO42273420Q9A310C1FF8000/
２０１９年３月11日閲覧

※14：スペイン内戦（１９３６〜１９３９年）：マヌエル・アサーニャ率いる左派の人民戦線政府（共和派）

と、フランシスコ・フランコを中心とした右派の反乱軍（ナショナリスト派）による内戦。反ファシズムであった人民戦線をソビエト連邦が支援し、また、アーネスト・ヘミングウェイら欧米の知識人も数多く義勇軍として参戦しました。一方、フランコ軍を空爆などの直接参戦で支援したのは、ファシズム陣営のドイツとイタリアでした。

※15：ＥＴＡ：バスク語のEuskadi Ta Askatasuna（エウスカディ・タ・アスカタスナ）の略で、フランコ独裁政権（１９３９〜１９７５年）による抑圧に反発し、１９５９年に結成されたバスク地方の分離独立を目指す民族組織。北アイルランド紛争やコルシカ島のアレリア闘争と共に、欧州における民族解放闘争として知られる「バスク紛争」で、数多くのテロ事件を起こしています。

※16：フランク・ゲーリー（Frank Gehry, １９２９年〜）：カナダ・トロント出身の建築家で、現在は米国・ロサンゼルスを拠点に活動。「ゲーリー邸」で注目され、脱構築主義建築の旗手として、プリツカー賞や高松宮殿下記念世界文化賞など多くの建築賞を受賞します。ソフトウェア技術にも精通し、モデリングと構造解析を行う航空力学・機械設計向けソフト「CATIA」を建築に適用することで、複雑で独特な形態の構造的な解決を図っています。代表作にウォルト・ディズニー・コンサートホール、８スプルース・ストリートなど。

※17：トピアリー：常緑樹や低木を刈り込んで作る西洋庭園における造形物。鳥や動物を模ったり、立体的な幾何学模様などを造ります。

※18：１９９８年から三菱マテリアル直島製錬所敷地内に、豊島廃棄物中間処理施設から産出される飛灰

を処理し、金属などの資源として再生する産廃処理施設を整備する「エコアイランドなおしま」計画に基づき、2003年には香川県直島環境センターが、また、2004年には有価金属リサイクル施設／溶融飛灰再資源化施設が相次いで設立・稼動しています。前者では豊島から海上輸送された産業廃棄物と直島町内から出る生活ゴミを溶融炉で溶融し、コンクリートの骨材などに使用されるスラグと溶融飛灰を生成。後者では、溶融飛灰から金や銀などの重金属を抽出し再資源化に供することで、循環調和型の街づくりを推進しています。

柴田弘捷：「銅製錬・アート・産廃処理の町・直島の現在―人口構成・産業構造・雇用環境―」専修大学社会科学研究所月報　587-588　23～54ページ　2012年　専修大学社会科学研究所を参考にしました。

※19：詳細は、拙著『現代アート経済学』（光文社新書）2014年　218～223ページを参照ください。また、豊島については、葉上太郎「『ゴミの島』とレッテルを貼られた豊島がアートで再生するまで」文春オンライン　2018年3月号を参考にしました。
https://bunshun.jp/articles/-/6196
2019年3月11日閲覧

※20：金沢市公式ホームページ「いいね金沢」より、金沢市推計人口・2019年2月1日現在
https://www4.city.kanazawa.lg.jp/11018/toukeidatasyu/jinnkousetaisu.html
2019年3月14日閲覧

※21：「金沢21世紀美術館、入館者7・1%減の237万人　17年度」　日本経済新聞　2018年4月4日
からデータを引用しています。
https://www.nikkei.com/article/DGXMZO28952920T00C18A4LB0000/
2019年3月14日閲覧

※22：SANAA：1995年妹島和世と西沢立衛によりSANAA設立。主な作品にルーヴル・ランス、
ニュー・ミュージアム、小笠原資料館など。2004年ヴェネツィア・ビエンナーレ国際建築展・
金獅子賞、2010年プリツカー賞など受賞多数。
妹島和世：（1956年〜）　1981年日本女子大学大学院修了。伊東豊雄建築設計事務所を経て、
1987年妹島和世建築設計事務所を設立。
西沢立衛：（1966年〜）　1990年横浜国立大学大学院修了後、妹島和世建築設計事務所入所。
1997年西沢立衛建築設計事務所設立。

※23：第4回「明日の日本を支える観光ビジョン構想会議ワーキンググループ」　2015年12月18日　秋
元雄史「美術館の文化プログラムによるまちづくりと文化観光」
https://www.kantei.go.jp/jp/singi/kanko_vision/wg_dai4/siryou4.pdf
2019年3月14日閲覧
中島恵：「金沢21世紀美術館のマネジメント―地域住民へのホスピタリティの視点から―」　大阪観光
大学観光学研究所年報『観光研究論集』第9号　59〜63ページ

全国知事会　第十一次自治制度研究会　金沢21世紀美術館 総務課課長補佐　村田昌人：「金沢21世紀美術館」２０１６年10月26日
http://www.nga.gr.jp/ikkrwebBrowse/material/files/group/3/12.20161027kanaza.pdf
２０１９年３月14日閲覧
以上を参考にしました。

※24：ネオ・ジオ：新しい幾何学表現によるコンセプチュアル・アート。１９８０年代半ばのニューヨークで、アシュレイ・ビッカートン（Ashley Bickerton, １９５９年〜）、ピーター・ハリー（Peter Halley, １９５３年〜）、ジェフ・クーンズ、メイヤー・バイスマン（Meyer Vaisman, １９６０年〜）という、イースト・ビレッジ出身の４人のアーティストを総称した表現で、正式には「ネオ・ジオメトリック・コンセプチュアリズム」といいます。彼らは、日常生活から借用したイメージの幾何学的形態を誇張することでミニマリズムとのつながりを強調し、そのイメージの文化的、社会的な文脈の喚起力（アレゴリー性）を利用して、消費社会や疎外的な都市環境や人種差別への批判を示したのです。
前述については、小学館の「日本大百科全書（ニッポニカ）」から引用しています。

※25：シミュレーショニズム：広告やメディアをとおして周知されたヴィジュアルや、誰もが知っている名画など既存のイメージを、自覚的に作品に取り入れ大胆に変換させる、ポスト・モダニズムを代表する美術動向。１９８０年代、ニューヨークを中心に流行しました。複製技術と情報化が極度に進行した80年代の高度消費社会を批評的に捉える一方、モダニズムが絶対視してきた唯一無二のオリジナルの価値を問い返そうとする意図から、この表現形態を用いる作品が量産されました。

前述については、田中由紀子「シミュレーショニズム」artscape から引用しました。
https://artscape.jp/artword/index.php/ シミュレーショニズム
２０１９年8月25日閲覧

第2章
中国巨大アート市場
一桁外れのコレクターたち

第2章　中国巨大アート市場―桁外れのコレクターたち

2-1　オークション史上第2位　210億円のモディリアーニ

長江（揚子江）河口の南岸に位置する上海は、1920年代から1930年代にかけて中国最大の都市として発展、「魔都」あるいは「東洋のパリ」と呼ばれ繁栄を極めていました。1949年に中華人民共和国が成立して以降は、工業都市として発展すると共に、同市指導部からは江沢民、朱鎔基ら大物政治家を次々と輩出し、大きな影響力を誇示してきました。2010年には189ヶ国が参加した史上最大規模の上海万博が開かれ、会場となった浦東新区を中心に、今もなお同国の経済成長を牽引し続けています。

その浦東新区と黄浦江を挟んで西側に位置するのが、現在急ピッチで整備・再開発が進められている「上海西岸文化走廊（Shanghai West Bund Cultural Corridor）」※1です。同構想は、金融センター世界第3位の威信にかけ、文化不毛の汚名を返上すべく、「エム・プラス（M+ Museum of Visual Culture）、以下M+」※2を中心に「西九龍文化区（West Kowloon Cultural District）」※3を建設中の香港と、アジアにおけるアート・センター（中心地）のポジションを激しく争っています。

前章でご紹介した曾梵志（ゾン・ファンジ）による《最後の晩餐》【図7】は、長らくアジア・

オークション史上における最高落札価格記録を保持し、今もって最も高額なアート作品であり続けています。同作にはイエスと十二使徒が描かれていますが、裏切り者とされたユダだけが資本主義を象徴するイエローのパワー・タイを締め、他は少年紅衛兵を想起させるような赤いネッカチーフを首に巻いています。つまり、「赤い資本主義」と称される中国の「政経ねじれ現象」を、アイロニカルに描き出しているといえるでしょう。上海西岸文化走廊の開発も、勿論、政府主導ではありますが、その中心を担っているのは富裕な個人コレクターたちなのです。

２０１５年11月9日クリスティーズ・ニューヨークのオークションで、アメデオ・モディリ

図７
曾梵志《最後の晩餐》
2001 年　Oil on canvas　220.0x395.0cm

Courtesy of artist and ShanghART Gallery
© Zeng Fanzhi

アーニの《横たわる裸婦》（1917〜1918年）【図8】が1億7040万ドル（約210億円）で落札されました。オークション史上2番目の記録的な高額で同作品を手にいれたのは、自らを「土豪（成金）」と称す劉益謙（リュウ・イーチェン）でした。彼はタクシー運転手から身を起こし、露天商、バッグ製造業を経て、株や不動産投資で巨万の富を得た立志伝中の人物です。

モディリアーニによるヌードは、当時彼の画商であったレオポルド・ズボロフスキーに勧められ描いたもので、世界に22点しか存在していません。しかも、そのほとんどが、コートールド・インスティテュート・ギャラリーやニューヨーク近

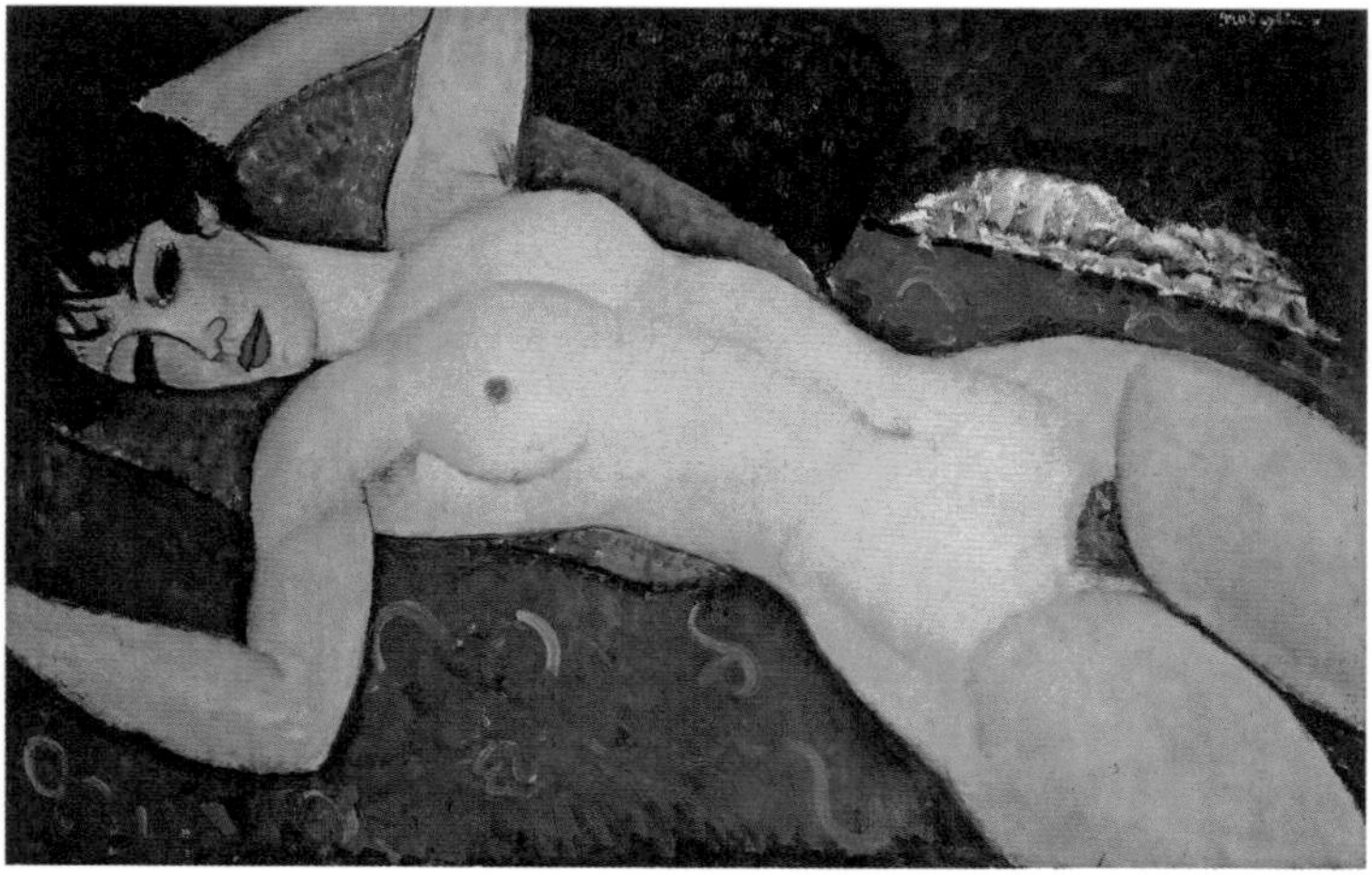

図8
アメデオ・モディリアーニ《横たわる裸婦》
1917〜1918年　Oil on canvas　59.9x92.0cm

代美術館（MoMA）、グッゲンハイム美術館などに収蔵され、市場に出回ることはまずないといえます。日本にも一点だけ《髪をほどいた横たわる裸婦》（１９１７年）が、２０２１年度開館予定の大阪中之島美術館（旧・大阪新美術館）に収蔵されています。

《横たわる裸婦》は、その敷布の色から別名《赤い裸婦》とも呼ばれており、そのことが劉の購買意欲を、更に掻き立てたのかもしれません。ちなみに彼は、２０１４年４月９日サザビーズ香港で、《明成化闘彩鶏缸杯》（15世紀）[※4]を中国製陶磁器としては（当時の）史上最高価格である３６０５万ドル（約36億７２００万円）で落札しています。そして、その時も今回のモディリアーニでも、支払いはアメリカン・エキスプレス・センチュリオン・カード[※5]であったといわれています。１００円で1ポイントが付与され、1ポイント＝０・３円の還元率から換算すれば、２１０億円分のポイント付与は、およそ６３００万円余りとなります。何とも、豪快な話ではありませんか。

彼が夫人の王薇（ワン・ウェイ）と共に館長を務める自らの美術館は、通称ウエスト・バンドの中心に位置する天井高30メートルにも達する巨大な元石炭積み卸し施設（石炭は、今でも上海港の主要な取り扱い貨物の一つです）を改築した「龍美術館（Long Museum）西岸館」【図9】です。夫妻は韓国を代表する企業サムスンの「三星美術館リウム（Leeum）」[※6]を訪問、大いに刺激を受け、２０１２年に革命期の中国アートを展示する浦東館、２０１４年に20世紀美術

図9
龍美術館　西岸館（Long Museum West Bund）　著者撮影

を中心とした西岸館をいずれも上海に、2016年には3館目となる重慶館を、同国屈指の工業都市に開館しています。

2-2　再開発が進む上海・西岸地区の美術館

その龍美術館西岸館から北へ1.5キロメートルほど行くと、《サーペンタイン・ギャラリー・パビリオン2013》（2013年）や《直島パヴィリオン》（2015年）で注目を集める日本人建築家・藤本壮介[※7]により倉庫から生まれ変わった「余徳耀美術館（Yuz Museum）」【図10】が見えてきます。そこでは、インドネシア華僑であるブディ・テックのコレクションと、グローバル・レベルの特徴的な企画展が同時開催されています。彼は食品ビジネスで成功し巨万の富を得て、当初はジャカルタに美術館を有していましたが、夫人の生まれ故郷である上海に２０１４年同美術館を開館しています。

アートにさほど興味がなくても、「眼が×印」のスヌーピーやセサミ・ストリートといった有名なキャラクターとのコラボレーション製品を、ユニクロで見たことがある方も多いと思います。これらを手掛けているのは、アートとストリート・カルチャーそしてファッションの世界で、近年大きな影響力を有しているカウズ[※8]（Kaws,１９７４年～）です。２０１７年3月に、アジアで初となる彼の個展『始於終点（終わりからの始まり）』展（会期：３月28日～8月13日）が余徳耀美術館で開催されています。

また、２０１８年10月には、毒のある作風で知られるマウリツィオ・カテラン[※9]

図 10
余徳耀美術館（Yuz Museum）　著者撮影

(Maurizio Cattelan, １９６０年～) のキュレーションによって、アートにおける複製の意味を問う『GUCCI The Artist is Present (アーティストは存在している)』展 (会期：10月11日～12月16日) が世界中で大きな話題となりました。そもそもこの展覧会のタイトルや巨大なビルボードのメイン・ビジュアル自体が、２０１０年にニューヨーク近代美術館で行われた、パフォーマンス・アーティストであるマリーナ・アブラモヴィッチによる歴史的な個展※10のコピーになっているのです(ちなみに、アブラモヴィッチは展覧会に参加していません)。更に同展が、中国において多くのコピー商品により多大な損害を被っているグッチの企画による点も、非常にアイロニカルであるといえます。さもありなん、この企画をカテランと共に手掛けたのは、第5章で詳述するグッチのクリエイティブ・ディレクターであるアレッサンドロ・ミケーレだからです。

「龍美術館西岸館」も「余徳耀美術館」も入館料は、それぞれの展覧会単位で１５０～２００元 (約２５００～３３００円) と、日本の平均的な美術展のおよそ2倍に相当しています。しかし、こうした美術館は、外国人観光客のみならず、多くの若い上海っ子たちで賑わっているのです。もっとも、西岸地区のタワー・マンションが、平均的な間取りで２６００万～３０００万元 (約4億～5億円) することを考えれば、当然といえるかもしれません。上海市文化観光局の統計によれば、２０１８年末時点で市内の美術館数は89館、来館者数は約

677万人となっており、2012年の34館・233万人から、たった6年で急激に増えていることがわかります。

　そして、この2館に加え最近大きな注目を集めているのが、5機の元航空機用燃油タンクを巨大な美術館へと転用した「上海油罐芸術中心（Tank Shanghai）」【図11】です。西岸地区には世界的なギャラリーが軒を連ね、中国人コレクターたちも競って、自らのコレクションを展示するプライベート・スペースを設けています。その中でも一頭地を抜いているのが、英国・ターナー賞アーティストであるマーティン・クリード（Martin Creed, 1968年～）の個展といった、美術館顔負けの企画で注目を集める「チャオ・

図 11
上海油罐芸術中心（Tank Shanghai）　著者撮影

スペース（Qiao Space）」です。オーナーである喬志兵（チャオ・ジーピン）は、上海郊外でその威容を誇る5階建ての大型KTV（ホステスが付く、高級個室カラオケ店）「上海之夜（Shanghai Night）」を経営しています。広大な店内には、曾梵志（ゾン・ファンジ）のペインティングから、アンソニー・ゴームリーの彫刻、更にはチームラボによるメディア・アートに至るまで、現代アートの優品がところ狭しと展示されています。

しかし、近年は習近平（シー・ジンピン：Xi Jinping，1953年～）国家主席による、激しい腐敗（汚職）撲滅運動の煽りを受けて接待が激減。彼のビジネスばかりか、コレクションも岐路に立たされていると噂に聞いていました。ところが、2019年3月23日に上海油罐芸術中心をオープンしたことで、その健在振りを強く印象付けることになりました。

2-3　上海のギャラリーとアート・フェア

静安区の南京西路に立つ上海波特曼酒店（ポートマン・ホテル、現・ザ・ポートマン・リッツカールトンホテル上海）に設けられた、小さなコーナーからスタートした香格納画廊（シャンアート・ギャラリー）は、その後復興公園に隣接する小体なスペースを経て、M50芸術区（莫干山路50号）[※11]に巨大な展示空間を有する中国トップ・ギャラリーへと成長・拡大し続けてきました。ハイブランドであるPRADAのイメージ・フィルムを手掛けるなど、アート界以外での活躍も目覚ましいフィルム・メーカー楊福東（ヤン・フードン：yang Fu-dong, 1959年〜）や曾梵志を擁する同ギャラリーの運営は、スイス人オーナーであるローレンス・ヘルブリングとディレクターである陳艶（チェン・ヤン）の卓越したコンビネーションにより生み出されています。それは、たった1年で価格を数倍に値上げするような、彼の地におけるビジネスとは無縁のソフィスティケートされたスタイルです。彼らは、２０１６年11月に満を持して新しいスペースを西岸地区にオープンしています【図12】。３階建てのビルは、美術館のような展示室のみならず、まるでＶＩＰ専用の応接室やオフィスなどを備え、更なる成長を見据え

図 12
西岸 香格納画廊（ShanghART West Bund）　著者撮影

た新しい本社機能に相応しいフロア・プランとなっています。

同エリア最大の特徴は、中国のギャラリーだけではなく、フランス人オーナーが経営する香港ベースのエドワード・マラング・ギャラリー（Edouard Malingue Gallery）や、イタリア人オーナーであるロベルト・セレシアのアイク（Aike：旧Aike-Dellarco）、そして既に六本木とシンガポールに店舗を有しているオオタファインアーツといった国際色豊かなギャラリーが、移転あるいは新しいスペースを開いている点です。

先例としては、シンガポール政府の肝入りで旧英国軍兵舎跡地を整備、海外のトップ・ギャラリーを誘致した「ギルマン・バラックス」[※12]があります。キャピタル・ゲイン、贈与、相続、住民税がないばかりか様々な控除があり、東京23区と同じくらいの面積にも関わらず広大なフリー・ポートを有する同国と比べ、中国における外国人や海外企業によるギャラリー運営は簡単なことではないでしょう。こうした疑問に対し、オオタファインアーツのオーナーである大田秀則は次のように語っています。「僕ら世代はずっと欧米を追いかけてきたけれども、今更、その復習をするのもあまり意味がないと思うんですよ。限りある人生だからこそ、何でもありで弱肉強食の〝ジャングル〟に飛び込んでいく方が、おもしろいと考えたわけです。リスクを取るというより、〝冒険〟に近いですかね。一方で、アートだけではなく、ファッションや映画、音楽といった新しいアジアの文化的な文脈が、これから数年あるいは十年後に世界中で花開く時に、そうした動きにプレイヤーとして参加していたいからでもあります。それは、テキストの復習ページを、勉強しているだけでは得られない体験ですよね」[※13]。

そして、エドワード・マラングは「上海は家内の故郷みたいなものだし、これからのビジネスを考えた時に、中国を抜きに考えることなどできないと思ったからだよ」と語っています。[※14] ビジネス的な成功は勿論、アジア地域における価値創造プロセスへの影響力担保という面からも、〝中国抜き〟という選択肢は最早考えにくいようです。

また、フランスを代表する国立美術館であるポンピドゥー・センターも、同地区に分館のポンピドゥー・センター上海

図 13
ポンピドゥー・センター上海　著者撮影

【図13】を開館準備中です（その後、2019年11月に開館）。英国の建築家デイヴィッド・チッパーフィールド設計による美術館は、2万3400平方メートルの面積を有し、同センターの豊富なコレクションや中国現代アートを紹介していく予定です。

さて、こうしたスペースと余徳耀美術館の間に位置しているのが、飛行機格納庫を改装した上海芸術中心（Shanghai Art Center）です。こちらでは2014年以来、毎年11月初旬に「西岸芸術与設計博覧会（West Bund Art and Design）」【図14】【図15】が開催されています。フェア・オーガナイザーは、香格納画廊を代表するアーティストの一人であり、いまや実業家と呼ぶ方が相応しい周鉄海[※15]（ジョウ・ティエハイ：Zhou Tiehai，1966年～）です。同フェアは公募形式ではなく招待制をとっており、周の目に留まるか、関係者の強い推薦がなければ出展することができません。後述するガゴシアン（Gagosian Gallery）やペース（Pace Gallery）、デヴィッド・ツヴィルナー（David Zwirner）といったアート界のGAFA[※16]とも呼べそうな世界的ビッグ・ギャラリーが、扱いアーティストの新作を携えて軒並み参加していることからも、現在は如何に中国のマーケットが強いかご想像いただけるものと思います。

西岸芸術与設計博覧会とほぼ同時に開催されているのが、延安西路でその威容を誇る上海展覧センター[※17]を会場とした「上海廿一当代芸術博覧会（ART021 Shanghai：以下アート

図 14
西岸芸術与設計博覧会（West Bund Art and Design）　著者撮影

図 15
西岸芸術与設計博覧会（West Bund Art and Design）
ディナー・パーティー　著者撮影

図 16
上海廿一当代芸術博覧会（ART021 Shanghai）　著者撮影

図 17
上海廿一当代芸術博覧会 (ART021 Shanghai) **フェア会場**　著者撮影

021）」【図16】【図17】です。スターリン様式のエキゾティックな建物は、周囲の現代的な摩天楼と好対照であり、内部の凝った装飾とエクスペリメンタルな現代アートとの取り合わせも、大きな見どころの一つとなっています。この建物は、後述するロレンツォ・ルドルフが主催していた上海初の大型アート・フェア「Shコンテンポラリー」が、かつてフェア会場としていました。しかし、2013年に外灘のオールド上海スタイルのビルを会場に、わずか十数軒のブースからはじまったアート021が、その後の急拡大（2018年の参加ギャラリー数：103軒）に合わせ、同センターへ会場を移転しています。

更には、これら二つのアート・フェアと歩調を合わせるように、同時期に元火力発電所をリノベーションした「上海当代芸術博物館（Power Station of Art）」※18で、2年に1回開催されているのが上海ビエンナーレです。そもそも現代アート専用の美術館として、最初に火力発電所をリノベーションしたのは英国のテート・モダンでした。発電タービンが置かれていた建物中央部のエントランス空間「タービン・ホール」は、高さ35メートル、奥行き152メートル、3300平方メートルと想像を絶するスケール感です。ちなみに同美術館は、この後に詳しくご紹介するM＋と同じく、ヘルツォーク＆ド・ムーロンが手掛けています。

さて、ここ数年の同ビエンナーレで、圧倒的な展示パワーを感じさせたのが、2016年第11回展（2016年11月12日〜2017年3月12日）でのモウ・セン＋MSG（牟森＋MSG）※19

による《The Great Chain of Being-Planet Trilogy（存在の巨大な連環-惑星三部作）》（2016年）【図18】でした。広大な吹き抜けスペースを占拠する巨大な廃墟に墜落したスペース・シャトルから、作品内部に入れば、胎内巡り[※20]のごとく、「無限遠近法」「時間の終わり」そして「暗闇に向けて」をテーマにした映像インスタレーション空間が広がっています。会期4ヶ月間だけのテンポラリーな展示とは思えない、さながらアミューズメント・パーク内の巨大アトラクションのような、アート作品の常識を超えたスケールの大きさといえます。

2018年第12回展（2018年11

図18
《The Great Chain of Being - Planet Trilogy》 Mou Sen+MSG 2016年
第11回上海ビエンナーレ会場展示風景　著者撮影

月10日～２０１９年３月10日）は、メキシコ自治大学付属現代美術館（ＭＵＡＣ）チーフキュレーターのクアウテモック・メディナ（Cuauhtemoc Medina, １９６５年～）が芸術監督を務め、コロンビア国立大学美術館のマリア・ベレン・サエズ・デ・イバッラ（Maria Belen Saez de Ibarra））と、ジャパン・ソサエティーの神谷幸江、そして上海当代芸術博物館の王慰慰（ワン・ウェイウェイ：Wang Weiwei, １９８３年～）３名が共同キュレーターとして参画する国際的な布陣でした。楊福東による《Indeed the Only Way（本当に唯一の道）》と、意味深長なタイトルが付けられたオープニング・パフォーマンスではじまったビエンナーレは、フランシス・アリス（Francis Alys, １９５９年～）や陸揚（ルー・ヤン：Lu Yang, １９８４年～）、アローラ＆カルサディーラ（Allora & Calzadilla, １９９５年より共同制作開始）ら世界の第一線で活躍するアーティストたちによる充実した展示内容でした。テーマは「Proregress –Art in an Age of Historical Ambivalence」で、「Progress（前進）」と「Regress（後退）」を合わせた「Proregress」という造語から、歴史における前進と退行のアンビバレント（二律背反）な関係性に焦点を当てていました。

第11回ヒロシマ賞[※21]受賞アーティストであるアルフレッド・ジャー[※22]（Alfredo Jaar, １９５６年～）は、同ビエンナーレで１９９４年に制作された《１００回のグエン（A Hundred Times Nguyen）》【図19】を展示していました。それは、彼が香港で出会った少女グエンが見

図 19
Alfredo Jaar《A Hundred Times Nguyen》 1994
Courtesy 2018 Shanghai Biennial, Shanghai, and the artist, New York

せる、はにかんだような表情を捉えたポートレイトの反復・繰り返し作品です。ベトナムを脱出して香港に漂着後、難民キャンプで生を受けた彼女の表情は、どことなく未来への不安をたたえています。1980年英国との間に難民保護協定が締結されると、香港はボート・ピープルを無条件で受け入れる第一収容港となります。しかし、政治亡命と海外での就労を目的とする者を分けるため、1988年香港政庁はスクリーニング（難民資格の認定作業）を開始。資格を得られなかった人々は、ベトナムへ強制送還されるようになります。そして、1997年に香港が中国に返還されると、翌年には第一収容港政策は撤回され、同時に難民キャンプも閉鎖されました。ジャーは、こうした作品の背景にある事実をテキストとして写真と共に展示したいと考えていましたが、結局は会期終了まで許可が下りなかったそうです。私が見た時も、スポット・ライトが何もない壁を照らしているだけで、「不在の存在」を強く主張していました【図20】。

このことは、上海ビエンナーレが非常にアカデミック且つ先鋭的な国際展でありながら、習近平政権下で情報統制強化がますます強まっていることを如実に表していました。加えて「Proregress」というテーマが、少々アイロニカルに感じられてしまったことも否めませんでした。

ご存知かもしれませんが、中国ではGoogle検索やGmail、Facebook、LINE、YouTubeなどは、VPN（仮想的な専用ネットワーク）を経由しない限り使用することができません。Google Mapsの案内がないことが如何に不便か、逆にいえば普段ど

図20
Alfredo Jaar《A Hundred Times Nguyen》1994
Courtesy 2018 Shanghai Biennial, Shanghai, and the artist, New York

れほど依存しているのか痛感することでしょう。ちなみに、それらの代わりに同地で利用されているのは、国産の検索エンジン百度（Baidu）やSNSの微信（WeChat）、微博（Weibo）、そして動画共有サービスで優酷（YouKu）などです。

2-4　ライバルの動向―香港、シンガポール、台北

M+は、2019年中の正式開館を目指して、現在急ピッチで建設が進んでいます（その後、オープン時期を2020〜2021年に延期）。北京オリンピックの特徴的なスタジアムである通称「鳥の巣」（北京国家体育場）を、艾未未（アイ・ウェイウェイ：Ai Weiwei, 1957年〜）と共に設計したスイス人建築家デュオであるヘルツォーク&ド・ムーロン（Herzog & de Meuron, 1978年より共同建築設計事務所開設）のデザインによる同施設は、展示スペース、3つの映画館、大講堂、学習センター、ミュージアム・ショップ、パフォーマンス・スペース、カフェ、メディア・テークを備えています。また、敷地を二分する地下鉄の周囲を掘削し、地下展示スペースを設けるなど、その土地が有するネガティブな特徴をポジティブに活用したファシリティとなっています。[※23]

館長も初代ラース・ニッティヴェ（Lars Nittve, 1953年〜、元テート・モダン館長）から、アジア・パシフィック・トリエンナーレ[※24]にキュレーターとして長く携わり、その後はニュー

サウスウェールズ州立美術館・副館長兼コレクション担当ディレクターとして辣腕を振るってきた、スリランカ出身のスハーニャ・ラフェル（Suhanya Raffel）に交代し、新体制で船出の準備にあたっています。

ここ数年は旺盛にコレクションを増やしており、アート・バーゼル香港では、一人７０００万～1億円ほどの予算を手に、キュレーターが会場を飛び回っているとまことしやかに囁かれています。というのも、同館の購入対象作品選定やその手段は大胆で、数年前には倉俣史朗[※25]が１９８８年にデザインした寿司屋〈きよ友〉の外観と内装デザインを丸ごと１５００万香港ドル（約2億円）で購入しています（同店は、経営難から２００４年に閉店。英国人オーナーの手で当時のまま所有・保管されていました）[※26]。最近では、１９６０～70年代に活動した英国の前衛建築家集団・アーキグラム[※27]の全アーカイブを、１・８万ポンド（約2億５０００万円）で購入しています[※28]。

また、M＋を中心とした西九龍文化区以外にも、映画『恋する惑星』（１９９４年）で有名となったヒルサイド・エスカレーター沿いに、２０１８年「大館センター（Tai Kwun Centre for Heritage & Arts）」がオープンしています。同センターは、１８８０年代初頭に建てられた旧・中央警察署、中央治安所、ビクトリア刑務所という歴史的建造物を保存・顕彰しつつ、現代アート・センターとしても機能しています。その運営は、香港ジョッキークラブ・

チャリティー・トラスト[※29]が主体となり、香港特別行政区政府と連携しながら担っています。

香港四大財閥の一角を占める新世界発展有限公司グループのK11は、2009年に九龍の尖沙咀に1号店をオープンして以来、ショッピング、グルメにアートを加えた複合商業施設「アート・モール」を展開しています。同社が再開発した「ヴィクトリア・ドックサイド」（九龍半島のウオーター・フロント）内には、300万平方フィート（約28万平方メートル）のアート&デザイン・センターが2019年中にオープンする予定です（その後、一部は開業）。ちなみにK11を率いるのは、財閥の御曹司でアート・コレクターとしても知られるエイドリアン・チェンです。彼は第1章でご紹介した59・6カラットのピンク・ダイヤモンドを79億円で落札した、不動産開発、カジノ、宝飾品などのコングロマリットである周大福（チョウタイフック）の取締役に名を連ねています。彼の保有資産は37歳にして、140億香港ドル（およそ2000億円）以上といわれています。

こうした動向に伴い欧米のビッグ・ギャラリーも、新たな拠点を次々に築いています。前述のガゴシアンやデイヴィッド・ツヴィルナー、ハウザー&ワースに加え、レーマン&モーピンやペロタンといったギャラリーは、中環の「ペダー・ビル（Pedder Building）」や「エイチ・クィーンズ（H Queen's）」内にスペースを構えています。ちなみにこれらビルの家賃は、広さにもよりますが月額700万香港ドル（約1億円）以上といわれています。

一方、シンガポールでは、2011年にアート・バーゼルの元ディレクターであったロレンツォ・ルドルフがアート・フェア「アート・ステージ・シンガポール」を立ち上げ、翌2012年にはギャラリー集積エリア「ギルマン・バラックス」が華々しくオープン。更に2015年には、総床面積約6万4000平方メートルを誇る巨大なナショナル・ギャラリー・シンガポールが完成するなど、アジアの文化的なハブとして発展し続けていました。ところが、櫛の歯が欠けるように、ここ数年ギルマン・バラックスでは1軒また1軒とギャラリーがスペースを閉じています。それに追い打ちを掛けるように、2019年1月アート・ステージ・シンガポールが、その開催を直前に中止するという前代未聞の事態が発生しています。同年11月には、アートHK※30（ART HK）の創設者でもあるティム・エッチェルズらが、マリーナ・ベイ・サンズで新しいアート・フェア「アートSG（ART SG）」を立ち上げる予定ですが（同年には開催されず）、同国の影響力低下を止めるのは極めて難しいと思われます。

上海、香港そしてシンガポールの主導権争いに、割って入ろうとしているのが最近の台北といえるでしょう。2019年1月には、アート・バーゼル香港でディレクターを務めていたマグナス・レンフリューが、台北南港展覧館で「台北ダンダイ（台北當代）」という新しいフェアを立ち上げました。参加した90軒のギャラリーは、アート界のGAFAをはじめ、主要なグローバル・プレイヤー達たちで占められていました。加えて、「アート・フューチャー（藝術未來)」や「ワン・アート台北（芸術台北)」といったサテライト・フェアも同時期に開催され、いずれも世界中から訪れた多くのアート関係者で賑わっていました。

しかし、フェアの初回が成功するのは当然であり、これから長期間に亘り継続発展していくことが如何に難しいかは、わずか9年で不本意な結果を迎えたアート・ステージ・シンガポールの末路を見れば明らかでしょう。

一見華やかに見えるアート・ビジネスですが、そこは弱肉強食のジャングルといっても過言ではありません。特に成長著しい中国では、栄枯盛衰も猛烈なスピードで繰り返されているのです。次章では、その中国と共に、近年アート市場をリードする中東諸国について説明していきたいと思います。

追　記

2019年6月9日に香港では、中国本土への容疑者引き渡しを可能にする「逃亡犯（犯罪人引渡）条例」改正の完全撤回と、親中派である林鄭月娥（キャリー・ラム）香港特別行政区・行政長官の辞任を求めて100万人超のデモが発生しました。その後8月12日から15日にかけては、香港国際空港を占拠するデモにより、数百便が欠航、ほぼ全ての便に遅延や運航スケジュール変更が生じました。

８月23日には、アート・バーゼル香港の出展審査に通過した応募ギャラリーに対して開催通知が届きましたが、今後も同地の政治問題が燻り続ければ、２０２０年３月の同フェア開催に深刻な影響（最悪は、直前での開催中止決定）を及ぼしかねません。

場合によっては、アジア全体の政治あるいは金融地図のみならず、文化領域における勢力図さえも劇的に変えてしまうことになるでしょう。

第２章　註釈

※１：上海西岸文化走廊：２０１１年の第９回党大会で、文化のリーダーとなるべく徐西リバーサイドにおける総合的な開発コンセプト並びに、「西岸文化走廊」のブランド・エンジニアリング戦略が提案されました。１９６６年に軍専用空港であった虹橋空港の民間利用に伴い、徐々に規模を縮小した後に閉鎖された、龍華空港跡地を中心に再開発が進んでいます。龍美術館西岸館、余徳耀美術館、上海油罐芸術中心、上海芸術中心、上海撮影芸術中心（上海写真アートセンター）、ギャラリー・エリアなどで構成された一大文化集積地区。

※２：M＋（M＋ Museum of Visual Culture）：香港の西九龍文化区に位置する、ヘルツォーク＆ド・ムー

ロン設計の延床面積6万平方メートル以上の巨大美術館。2017年の開館予定は、度々延びて現在は2020年の正式オープンを目指しています。1950年以降のビジュアル・アート、デザイン、建築、映像を香港、中国本土、アジア、その他の地域から収集、近・現代の視覚文化美術館としては世界最大級の規模。

※3：西九龍文化区：M+など17の芸術文化施設と教育スペースを含む、およそ40万平方メートルにも及ぶ世界最大の文化プロジェクトです。詳細については、拙著『現代アート経済学』（光文社新書2014年　192〜195ページをご参照ください。

※4：明成化闘彩鶏缸杯：明朝の成化帝（在位1465〜1487年）の時代に、皇帝御用として作られた高さ3・8センチメートル、直径8・3センチメートルの酒杯で、絵柄から通称「チキンカップ」と呼ばれています。最高品質の杯だけが宮廷に入り、選ばれなかった物は全て破棄されたため、現存するのは19点のみで、6点を台北の国立故宮博物院が所蔵、その他大半が世界中のメジャー・ミュージアムに収まっているため、個人蔵は3点のみといわれています。また、使用されている陶土が成化年代で使い切られているため、同じ物を再現することは不可能であると考えられています。

※5：アメリカン・エキスプレス・センチュリオン・カード：アメリカン・エキスプレスが発行する、最上級クレジット・カードであり、通称そのカラーからブラック・カードと呼ばれることも。日本では入会金50万円、年会費35万円（共に税別）が必要。他のアメックスを大きく上回る多くの会員サービスが存在すると思われますが、会員以外には公開されていません。

※６：三星美術館リウム：韓国・ソウルの漢江を見下ろす南山麓に建てられた三星文化財団の美術館。設立者の姓〝Lee〟と美術館 Museum の〝um〟を組み合わせて、リウム（Leeum）と名づけられました。世界的な建築家であるマリオ・ボッタ（スイス）とジャン・ヌーヴェル（フランス）設計による美術館棟１と２、そしてレム・コールハース（オランダ）のサムスン児童教育文化センターを地下でつなげた総合的な文化施設で、延床面積２万８５００平方メートルに古美術から現代アートまで幅広い収蔵品が展示されています。

※７：藤本壮介（１９７１年～）：北海道出身。１９９４年東京大学工学部建築学科卒業後、２０００年に藤本壮介建築設計事務所を設立。２００５年より、若手建築家の国際的な登竜門である AR awards を３年連続で受賞し注目を浴びる。２０１１年国際設計競技「ベトンハラ・ウォーターフロント・センター」及び「台湾タワー」で最優秀賞を受賞。主な著書に『原初的な未来の建築 Primitive Future』や『建築が生まれるとき』があります。

※８：カウズ（Kaws, １９７４年～）：本名ブライアン・ドネリー。アメリカ・ニュージャージー出身。アーティストであり、グラフィック・デザイナー、ファッション・デザイナーそしてトイ・クリエイター。１９９３～１９９６年 School of Visual Arts で学ぶ。眼が×印のキャラクターを用いた作品で広く知られ、ユニクロをはじめ、NIKE といったブランドと数多くのコラボレーションを行っています。

※９：マウリツィオ・カテラン（Maurizio Cattelan, １９６０年～）：イタリア・パドヴァ出身で、現在ミラノとニューヨークを拠点に活動しています。初参加の１９９３年ヴェネツィア・ビエンナーレでは、自分の展示スペースを広告会社に販売。１９９８年ニューヨーク近代美術館の個展においては、

ピカソの巨大なマスクを被ったパフォーマーが美術館内を練り歩き、2016年グッゲンハイム美術館では、実際に使用可能な18金製のトイレ《アメリカ》を展示するなど、毒のある作品によって常に世間を挑発し続けています。また最近では、写真家のピエールパオロ・フェラーリとアート・マガジン「TOILETPAPER」を発行しています。

※10：『The Artist is Present』は、ニューヨーク近代美術館（MoMA）で2010年3月14日〜5月31日に開催されたパフォーマンス・アーティストであるマリーナ・アブラモヴィッチ（1946年・旧ユーゴスラビア出身）の歴史的な回顧展です。彼女は会期中毎日7時間同館のアトリウムの椅子に座り続け、観客は好きなだけ彼女と対峙することができるというパフォーマンスを行いました。同展は大きな話題となり、85万人が訪れ、パフォーマンスに参加するため徹夜で数千人が並んだようです。

※11：M50芸術区（莫干山路50号）：1930年代に建てられた紡績工場跡地をそのまま利用したギャラリー街。中国を代表するペインターである丁乙がアトリエを構えたことから、張恩利、施勇らのアーティストたちが自然に集まり、2002年には現在のような姿が形成されました。

※12：ギルマン・バラックス：詳細については、拙著『現代アート経済学』（光文社新書）2014年118〜126ページをご参照ください。

※13：2019年8月24日　東京・六本木　オオタファインアーツでのインタビューによります。

※14：2019年3月26日　香港・中環 エドワード・マラング・ギャラリーでのインタビューによります。
なお、同ギャラリーのディレクターを務めるロレーヌ夫人は、上海と台湾人両親のもとに香港で生まれています。

※15：周鉄海（Zhou Tiehai, 1966年〜）：上海出身、1987年上海大学卒業。中国を代表するコンセプチュアル・アーティスト。1999年の第48回ヴェネツィア・ビエンナーレで芸術監督を務めたハロルド・ゼーマンに見出され、翌2000年アート・バーゼル・バーゼルのステートメント・セクターにおける個展が大きな注目を浴びます。日本でも第14回アジア国際美術展（福岡アジア美術館、1999年）への参加や、原美術館での個展「Placebo（偽薬）」（2000〜2001年）によって早くから認知されています。

※16：GAFA：グーグル（Google）、アップル（Apple）、フェースブック（Facebook）、アマゾン（Amazon）の4社を指します。それらの頭文字を取ってGAFAと称しているのです。いずれも米国を代表するIT企業であり、4社は世界時価総額ランキングの上位を占めています。
詳細は、以下をご覧ください。
コトバンク
https://kotobank.jp/word/GAFA-1999733
2019年3月31日閲覧

※17：上海展覧センター：ソビエト連邦の経済的・技術的援助を受け、「中ソ友好記念会館」として1955年3月5日に竣工。1959年に常設の工業展示場となり、1978年に「上海市工業展

覧館」と改名、1984年に現在の「上海展覧中心（上海展覧センター）」となりました。

※18：上海当代芸術博物館（Power Station of Art）：上海万博跡地に、2012年開館した中国初の公立現代美術館。元火力発電所を上海市が6400万ドルを拠出してリノベーション。

※19：モウ・セン+MSG（牟森+MSG）：1963年遼寧省・営口出身のモウ・センは、中国における実験演劇の先駆者であり、現在も第一人者です。チベット・シアター・カンパニーの監督を務めた後、1987年に北京で蛙実験劇場（Frog Experimental Theatre）を、1993年には戯劇車間（Garage Theatre）を設立・主宰。その後、中国美術学院跨媒体芸術学院（SIMA）及び杭州の中国美術学院でメディア・ミックスによる空間演出を目指すプラットフォームMSGを結成し、現在も活発に活動しています。

※20：胎内巡り：「戒壇巡り」ともいいます。修験者が山地や霊地を、他界または胎内と見なして巡歴し修行したことから、大仏や観音の体内あるいは、地下の霊場を巡ることを指します。罪穢を捨て魂と肉体を浄化し、新たに生まれ変わるという意味を有しています。

※21：ヒロシマ賞：美術の分野で人類の平和に最も貢献したアーティストの業績を顕彰することを通じ、広島市の芸術活動の高揚を図ると共に、「ヒロシマの心」を広く全世界にアピールするため、1989年広島市によって創設されました。3年に1度授与される同賞は、過去に三宅一生、蔡國強、モナ・ハトゥムら10組のアーティストに与えられています。

※22：アルフレッド・ジャー（Alfredo Jaar，１９５６年〜）：１９５６年チリのサンティアゴに生まれる。チリで大学を卒業した後、１９８２年ニューヨークに移住。以降、ニューヨークを拠点に活動。１９８０年代に、重い社会問題を主題とする写真やライト・ボックスを用いたインスタレーション作品を発表し、一躍注目を集めます。１９８６年ヴェネツィア・ビエンナーレや翌１９８７年のドクメンタ８をはじめとする大型国際展への参加も多数。世界各地で起きる歴史的な事件や悲劇、社会的な不均衡に対し、綿密な調査と取材に基づくジャーナリスティックな視点を有する作品が大きな特徴です。

ヒロシマ賞とアルフレッド・ジャーについては、広島市現代美術館「第11回ヒロシマ賞受賞者決定について」を参考にしています。
https://www.hiroshima-moca.jp/hiroshima-art-prize/
２０１９年３月31日閲覧

※23：「２０１９年 香港に世界最大級の視覚文化美術館『M＋』が誕生 スイスの建築事務所 Herzog & de Meuron が設計」AXIS Web Magazine　２０１８年12月４日を参考にしています。
https://www.axismag.jp/posts/2018/12/109146.html
２０１９年３月31日閲覧

※24：アジア・パシフィック・トリエンナーレ：オーストラリア第３の都市ブリスベンで、１９９３年以来３年に一度開催されるアジア並びにオセアニア（大洋州地域）の現代アートを紹介する国際展です。クイーンズランド州立美術館とギャラリー・オブ・モダン・アート（ＧＯＭＡ）の２会場で展開。

※25：倉俣史朗（1934〜1991年）：東京都出身のインテリア・デザイナー。東京都立工芸高等学校木材科を卒業し、企業に勤めながら1953〜1956年桑沢デザイン研究所リビングデザイン科で学ぶ。ウィンドウディスプレイなどのデザインを手掛けた後、1965年にクラマタデザイン事務所を設立。空間、家具デザイン分野で1960年代初頭から1990年代にかけて世界的に傑出した仕事を残しています。

※26：「倉俣史朗デザインの寿司屋、〈きよ友〉をご存じですか?」CASA BRUTUS　2014年8月29日を参考にしています。
https://casabrutus.com/design/2274
2019年3月31日閲覧

※27：アーキグラム：1961年にピーター・クック、デニス・クロンプトン、デヴィッド・グリーン、ウォーレン・チョーク、ロン・ヘロン、マイケル・ウェブを基本メンバーとして英国で結成され、1970年代初頭まで活躍した前衛建築家グループ。脚付きの都市《ウォーキング・シティ》や、着脱可能な空間ユニットを集合住宅やオフィス、店舗など用途に合わせて組み立てる《プラグイン・シティ》といった奇抜なアイデアで知られています。

※28：「M+（エムプラス）が前衛建築家集団「アーキグラム」の全アーカイブを約2億5000万円で購入」美術手帖　2019年2月3日を参考にしています。
https://bijutsutecho.com/magazine/news/exhibition/19270
2019年3月31日閲覧

※29：香港ジョッキークラブ・チャリティー・トラスト：香港における競馬競技団体である香港ジョッキークラブの非営利部門であり、同地で最大の慈善団体。１８８４年に前身のロイヤル香港ジョッキークラブとして発足し、シャティンとハッピーバレー2箇所の競馬場でレースを開催。

※30：ＡＲＴ　ＨＫ：２００８年に立ち上がった香港のアート・フェア。アート・バーゼルの経営母体であるＭＣＨグループに買収され、２０１３年からアート・バーゼル香港となり、それに伴いリーディング・パートナーもドイツ銀行からＵＢＳへと変わっています。

第3章
産油国ロイヤル・ファミリーが見据える脱石油後の世界

第3章　産油国ロイヤル・ファミリーが見据える脱石油後の世界

3-1　史上最高額作品の購入者

第1章でご紹介した通り、世界最高額のアート作品は、ルネサンスを代表する芸術家レオナルド・ダ・ヴィンチによる、縦65・6センチメートル×横45・4センチメートルの油彩画《サルバトール・ムンディ（救世主）》です。その価格は、日本円で約508億円にも上ります。では、この桁外れな作品を購入したのは、一体誰なのでしょうか？

当初購入者として最有力視されていたのは、サウジアラビア王国（以下、サウジアラビア）のムハンマド・ビン・サルマン皇太子（以下、ムハンマド皇太子）でした。最近では、サウジアラビア政府に対し批判的な記事を書いていたジャマル・カショギ記者暗殺の黒幕と目され話題となっていますが、もともと彼は、旧態依然であった同国刷新を目指す改革派青年王族の一人でした。では、なぜ敬虔なイスラム教徒であるムハンマド皇太子が、ダ・ヴィンチの描いたキリスト像を落札したと噂されていたのでしょうか？

同国は、サウード家を国王に戴く絶対君主制国家であり、世界2位の原油埋蔵量を誇っています。また、イスラム教最大の聖地であるメッカとマディーナ（メディナ）を擁する盟主的な存在でもあります。アラブ諸国では唯一G20に加盟している富裕国ですが、産業の多様性には乏しく、天然資源の採掘・輸出に依存しているのが現実です。

ところが、同国の原油産出量は横這いであるにも関わらず、人口増加が止まらず、いまやGDPは30年前のおよそ4分の1、外貨準備高はこの3年間で7370億ドルから4750億ドルにまで激減しています。そこで、石油依存型経済から脱却し、投資、観光、製造業など経済多角化を目指すと共に、民間企業の役割を拡大することで雇用を創出。2030年までに国民生活の大幅な水準向上を目指したのが、皇太子自ら陣頭指揮を執る「ビジョン2030」計画です。加えて、「過激主義のイデオロギーを倒し、より穏健なイスラム」に立ち返る方針を宣言するなど、国際社会との協調性を重視する開明派でもあります。豊富な資金力に加え、こうした点が《サルバトール・ムンディ》落札者として、相応しい条件であったといえるでしょう。[※1]

一方でムハンマド皇太子は、2017年に王位継承権第1位に昇格し、強大な実権をその手中に収めると、500人以上に上る王族、閣僚、大物実業家らを汚職捜査で拘束、その資産を没収しています。差し押さえ総額は、かつて次期国王候補と目されていたムトイブ・ビン・アブドラ王子だけで10億ドル（約1100億円）にも上り、全体では8000億ドル（約91兆円）を超えると目されています。こうした粛正は、皇太子の急進的改革に対する抵抗勢力の排除が目的であると思われます。サウジアラビアにおいて、王族は中国共産党の高級幹部と同様、利権を独占する一種の特別な存在だからです。

さて、ムハンマド皇太子でないとしたら、真のオーナーは一体誰なのか気になるところです。実は全世界が注目する《サルバトール・ムンディ》を購入したのは、アラブ首長国連邦（以下、UAE）のアブダビ文化観光庁でした。サウジアラビアの文化相であるバドル・ビン・アブドラ王子が、UAEの代理として同作品を落札し仲介役を果たしたことから、皇太子購入説が広まったものと考えられます。※2

アブダビ首長国は、UAEの中でも最大の人口、収入を持ち、国土面積6・7万平方キロメートルは、連邦全体のおよそ8割にも及んでます。更に、そこに埋蔵されている豊富な石油・天然ガス資源を背景に、連邦の政治、経済を支える事実上のリーダー国として広く認識されています。事実、1971年の連邦結成以来、UAEの大統領は、アブダビ首長のザーイド、ハリファ父子が務めており、今後も同首長国から輩出されることが予測されています。

3-2　ペルシャ湾に浮かぶ一大文化集積地

アブダビ首長国の威信をかけた大型文化プロジェクト「ルーヴル・アブダビ」【図21】【図22】は、2017年11月に開館しました。本来であれば2014年にオープンしているはずが、当初の予定より約3年間もスケジュールがずれ込んだようです。香港のM＋が毎年開館予定を繰り上げているように、地域の文化的な勢力図を塗りかえるような大事業は、中々予定通りに進まないようです。その設計は、壁面を覆うマシュラビーヤ[※3]が採光を自動調節するパリ「アラブ世界研究所」や、日本刀を象ったような汐留「電通本社ビル」を手掛けた、フランスの建築家ジャン・ヌーヴェル[※4]（Jean Nouvel, １９４５年〜）によるものです。

美術館の建物は、アラブ諸国の入り組んだ市街地メディナに想を得た、55棟の箱型低層パビリオンを直径１８０メートルにも及ぶ巨大ドームが覆う独特の形状です。ドームは７８５０もの金属製星形構造体で構成されており、８層のレイヤーが少しずつずれているため、まるで木漏れ日のような効果をもたらしています。そして、総床面積９２００平方メートルを超える空間には、23の展示室やレストラン、ミュージアム・ショップなどが収容されています。

ペルシャ湾の沖合５００メートルに浮かぶサディヤット島（アラビア語で「幸せの島」の意味）は、ここ10年ほど潤沢なオイル・マネーを背景に、同美術館以外にも、故ザハ・ハディドによる「アブダビ舞台芸術センター」や、安藤忠雄の「アブダビ海洋博物館」、そしてフランク・ゲーリーが手掛ける「アブダビ・グッゲンハイム美術館」といった世界的スーパー・スターによる壮大なプロジェクトが目白押しです。

なお、現在までのところ、ルーヴルを冠する国外の美術館はアブダビのみです。２００７年のプロジェクト発足当初は、「フランスの魂を売るな」と反対する意見も少なくありませんでした。しかし、30年間ルーヴルの名前を使用する、いわばネーミング・ライツ料の４億ユーロ

図 21
ルーヴル・アブダビ　外観

図 22
ルーヴル・アブダビ　ドーム内部

（約530億円）をはじめ、オルセー美術館やポンピドゥー・センターなど13館からの作品貸し出しや、アドバイザリー料などでUAEはフランス政府に対し、総額でおよそ10億ユーロ（約1320億円）を支払う予定です。

では、なぜアブダビ首長国は巨額の資金を拠出し、フランスは国宝の海外貸し出しに積極的なのでしょうか？　それを解く鍵は、両国の経済・外交政策にあります。UAEは将来の石油枯渇に備え文化立国を目指して、サディヤット島をドバイに続く観光都市にすべく計画しています。

一方のフランスは、世界第8位の原油生産量を誇る同国海上鉱区の13・33％[※5]を保有するトタル社[※6]及びフランス政府の権益維持・拡大を目指して、この大型プロジェクトを推進しているのです。[※7]加えて、過去10年間にUAEはフランスから、エアバス（旅客機）40機、ミラージュ他の戦闘機380機に加え、様々な武器などを購入。その総額は、およそ80億ユーロ（約1兆3120億円）にも上っています。いくらフランスといえども、これほどの上顧客を無下に扱えるはずもありません。

華々しい文化的プロジェクトの裏には、こうした両国間のエネルギー、経済、軍事上の大きな利害が存在していたわけです。こうした努力が報われ、トタル社は2018年の契約更新においても、引き続き海上油田権益の確保に一定程度成功したもようです。

また、UAEではルーヴル以外にも、シャルジャ首長国が大型国際展のシャルジャ・ビエンナーレを主催しており、2019年には14回目を迎えています。2013年第11回展の芸術監督を務めた長谷川佑子が、イスラム建築の中庭から着想し、西洋中心主義的な知の在り方を問い直す斬新なテーマを掲げたことは、当時大きな話題となりました。

3-3　名品は中東に集まる

所変わって、2015年10月31日東京・六本木の森美術館では、絵画史上最大といわれる全長100メートルにも及ぶ村上隆の大作《五百羅漢図》を、一目見ようと集まったアート愛好家たちで賑わっていました。同作品は、東日本大震災にいち早く支援の手を差し伸べたカタールに対する感謝の意を込め、震災翌年に同地で発表されました。しかし支援に対する感謝の気持ちだけで、世界的なアーティストが重要作品のお披露目を、中東の小国でわざわざ行うとも思えません。

英国の美術専門誌『アート・レビュー』が毎年発表する「パワー100（アート界で最も影響力のある人物トップ100）」は、2013年にカタール首長シャイフ・タミーム・ビン・ハマド・アール＝サーニーの妹にあたる、アル・マヤサ・ビント・ハマド・ビン・ハリファ・アルサーニ王女を第1位に選出しました（図表5）。ニューヨーク近代美術館やテート・モダン

（図表５）　アート・レビュー誌　2013年「パワー100」
（アート界で最も影響力のある人物トップ100）

2013年順位	名　前	役職・所属等	2012年順位
1	アル・マヤサ・ビント・ハマド・ビン・ハリファ・アルサーニ	カタール・ミュージアムズ・オーソリティー理事長	11
2	デイヴィッド・ツヴィルナー	ギャラリスト：デイヴィッド・ツヴィルナー	5
3	イワン・ワース（イヴァン・ヴィルト）	ギャラリスト：ハウザー・アンド・ワース	4
4	ラリー・ガゴシアン	ギャラリスト：ガゴシアン・ギャラリー	2
5	ハンス＝ウルリッヒ・オブリスト＆ジュリア・ペイトン・ジョーンズ	サーペンタイン・ギャラリー共同ディレクター	10
6	ニコラス・セロタ	テート・館長	8
7	ベアトリクス・ルフ	クンストハレ・チューリッヒ館長	7
8	グレン・D・ローリー	ニューヨーク近代美術館館長	9
9	艾未未（アイ・ウェイウェイ）	アーティスト	3
10	マッシミリアーノ・ジオーニ	第55回ヴェネチア・ビエンナーレ芸術監督	19

（図表６）　参考：アート・レビュー誌　2018年「パワー100」
（アート界で最も影響力のある人物トップ100）

2018年順位	名　前	役職・所属等	2017年順位
1	デイヴィッド・ツヴィルナー	ギャラリスト：デイヴィッド・ツヴィルナー	5
2	ケリー・ジェームス・マーシャル	アーティスト	68
3	#MeToo	セクシャル・ハラスメントに対する国際的抗議行動	NEW ENTRY
4	ヒト・シュタイエル	アーティスト	1
5	艾未未（アイ・ウェイウェイ）	アーティスト	13
6	イワン＆マニュエラ・ワース	ギャラリスト：ハウザー＆ワース	7
7	ハンス＝ウルリッヒ・オブリスト	サーペンタイン・ギャラリー芸術監督	6
8	テルマ・ゴールデン	ハーレム・スタジオ美術館館長	8
9	エヤル・ワイツマン	フォレンジック・アーキテクチャー主宰	94
10	フレッド・モートン	詩人・評論家	NEW ENTRY

図 23
ポール・セザンヌ《カード遊びをする人々》
1892～93年　カンヴァスに油彩　97.0x130.0cm

といったメジャー・ミュージアムの館長、あるいは年間数千億円の売り上げを誇る巨大ギャラリーのオーナーを抑え、彼女が高く評価された理由は、アート作品に対する並みはずれた購買力でした。彼女は同国の博物館・美術館を束ねるカタール・ミュージアムズ・オーソリティーのトップとして、年間およそ10億ドル（約1100億円）を作品購入に費やしたといわれています。これは、前年のニューヨーク近代美術館・年間作品購入予算の約30倍に相当します。[※8]

第1章でご紹介した、取引価格が2億5000万ドル～3億ドルと目されているセザンヌ《カード遊びをする人々》【図23】や、約3億ドルといわれるゴーギャンによる《いつ結婚するの》を購入したのもカタール王室です。前者は、カタールへ渡ったものと同様に、2人の男が向き合う構図がロンドン大学附属コートールド美術研究所（通称、コートールド・ギャラリー）とオルセー美術館に1点ずつ、プレイする3人の男と1人の見物人が描かれた作品はメトロポリタン美術館に、そして見物人が1人増え5人のバージョンはバーンズ・コレクションに収蔵されています。

カード遊びをする人々をテーマにした作品は、全部で5点しか存在しておらず、そのうちの4点は欧米のメジャー・ミュージアムにコレクションされています。カタールは、ギリシャの海運王ジョージ・エンビリコスが所蔵していた最後の1点を購入し、欧米以外に初めてセザンヌの名作《カード遊びをする人々》をもたらしたのです。

現存しているレオナルド・ダ・ヴィンチによる絵画作品は諸説ありますが、世界で16点余りといわれています。アブダビ文化観光庁が落札した《サルバトール・ムンディ》も、現在欧米の美術館以外では唯一にして、当時は購入可能な最後の絵画作品でした。こうした希少性こそが、作品価格を天文学的なものにしていることは想像に難くありません。

前出の村上隆やダミアン・ハースト（Damien Hirst, １９６５年〜）らの大規模個展を開催したカタール美術館以外にも、首都ドーハとその周辺には多くの文化施設が点在しています。ルーヴル・ピラミッド（パリ）や、MIHO MUSEUM（ミホ ミュージアム：滋賀県）[※9]を手掛けたイオ・ミン・ペイ[※10]設計により、2008年12月に開館したイスラム美術博物館【図24】やマタフ（アラブ近代美術館）は、多くの外国人観光客で賑わっています。

石油と天然ガス（以下、LNG）の地下資源に恵まれたカタールは、世界でもトップ・クラスの富裕国であり、一人あたりのGDPは13万4620ドルと日本のおよそ3倍です[※11]。そのため、所得税や消費税はなく、電気・水道代から医療費、更には大学の教育費に至るまで全て無償です。

特にLNGは、世界第3位となる866・2兆立方フィートの埋蔵量に加え、135・2年にも達する可採年数を誇り、輸出量でもロシアに次ぐ第2位となっています[※12]。

こうした豊富な天然資源に恵まれているにも関わらず、カタールは早くから脱石油・LNG依存経済を目指していました。イスラム美術博物館やカタール美術館のような文化施設の建設や収蔵作品充実に加え、中東、そしてイスラム教国では初となる2022年FIFAワールドカップの開催は、彼らの強固な意志を表しているといえます。

一方で、人口のおよそ9割を占める外国人労働者に対する一方的な契約や強制労働、そして貧富の差が、同国では大きな社会問題となっています。文化・芸術あるいはスポーツ立国として、海外から更に多くの観光客を誘致するためには、いつまでもこうした状態を放置しておくわけにはいかないでしょう。

図 24
カタールイスラム美術博物館　カタール

また、２０１７年６月５日以来カタールは、盟主サウジアラビアを中心としたスンニ派ペルシャ湾岸諸国[※13]から国交を断絶され、経済制裁や領空内通過禁止措置を受けています。その理由はシーア派大国であるイランへの接近や、テロ組織と目されているムスリム同胞団[※14]への支援、そしてアラブ諸国の王室批判も辞さない衛星放送局アルジャジーラ[※15]の存在です。

こうした制裁に対し、イランやトルコとの連携を強化すると共にＬＮＧの増産によって経済危機を回避すると、２０１９年１月にはＯＰＥＣを脱退し、サウジアラビアに対する反発をますます強めています。また、軍事、経済面で中国と急接近する一方で、国営石油会社カタール・ペトロリウムは、テキサス州の巨大天然ガス田ゴールデン・パスの大株主となり、米国天然ガス資源開発への追加投資を積極的に進めています。今後、中東の国々では、更なる分断と混迷の度合いを深めていくことになるでしょう（図表7）。

クリーンなエネルギーとしてLNGの需要が伸び、太陽光をはじめとする代替エネルギー開発も予想を上回るスピードで進んでいます。「脱石油依存経済」を推し進める産油国が、アート市場に及ぼす大きな影響から、ここしばらくは目を離せそうにありません。

（図表 7）　中東地域地図
出典：外務省ホームページ

追記

ルーヴル・アブダビは、理由を明らかにしないまま、２０１９年９月に予定されていた、レオナルド・ダ・ヴィンチ作《サルバトール・ムンディ》の展示延期を発表しました。また、没後５００年を記念した大規模な『レオナルド・ダ・ヴィンチ』展（会期：２０１９年10月24日から２０２０年２月24日、ルーヴル美術館）にも同作は出品されていません。

そうした中、２０１９年６月に複数の関係者から、同作品はサウジアラビアのムハンマド・ビン・サルマン皇太子が所有する豪華クルーザー「セリーン号」に、保管されているとの報道が世界を駆け巡りました。

果たして、世界一高額なアート作品の所有者は一体誰なのでしょうか？　人類共通の宝である作品の安全性（適切な保管環境）と共に、大変気になるところです。[※16]

第3章　註釈

※１：「サウジ皇太子、『より穏健なイスラム』を改めて主張」CNN.co.jp　２０１７年10月25日より引用しました。
https://www.cnn.co.jp/world/35109328.html?tag=mcol;relStories
２０１９年４月９日閲覧

※２：「５１０億円のダ・ビンチ絵画、落札者がついに判明」CNN.co.jp　２０１７年12月12日より引用しました。
https://www.cnn.co.jp/showbiz/35111789.html
２０１９年４月９日閲覧

※３：マシュラビーヤ：イスラム建築において、強い日差しや砂塵の遮蔽に加え、外から内部を覗けないように施された緻密な格子を指します。アラベスク模様を想起させる、装飾的な要素を有するものも見られます。

※４：ジャン・ヌーヴェル（Jean Nouvel, １９４５年～）：フランスの建築家。パリ・エコール・デ・ボザールを卒業後、１９８７年の「アラブ世界研究所」で注目を集める。「カルティエ現代美術財団」のように光の反射や透過により建物の存在が消えてしまうような〝透明な建築〟に代表される、多種多様なガラスを用いることで、独特の存在感を生み出しています。１９８９年アガ・カーン賞、２００１年高松宮殿下記念世界文化賞、２００８年プリツカー賞をはじめ受賞歴多数。

※５：正確にはアブダビ国営石油会社（ADNOC）傘下のアブダビ海上操業会社（ADMA-OPCO）の持ち株比率を表しています。60％を同国政府が有し、残りをＢＰ（イギリスの国際石油資本で旧ブリティッシュ・ペトロリアム）：14・67％、トタル13・33％、ジャパン石油開発株式会社12％となっています。同社の採掘権益は、ザクム油田、ウムシャイフ油田、ナスル油田、ウムルル油田及びＳＡＲＢ油田で構成されています。

※６：トタル：１９２４年にフランスの石油会社として設立。パリ近郊ラ・デファンスに本部を置く多国籍企業であり、国際石油資本として、スーパー・メジャーと呼ばれる6社の一角を占めています。世界42ヶ国以上で原油や天然ガスの採掘を行い、１５０ヶ国以上に販売拠点を有しています。商標は「TOTAL」と「ELF」です。

※７：「ルーヴル・アブダビ開館から読み解くアブダビの国家戦略」中東ビジネス最新情報　２０１７年11月17日を参考にしています。
http://ksn-consulting.com/　ルーヴル・アブダビ開館から読み解くアブダビの／
２０１９年４月９日閲覧

※８：「カタール王女、美術業界で最も影響力のある人物に　英美術誌」AFP BB NEWS　２０１３年10月25日を参考にしています。
https://www.afpbb.com/articles/-/3002090
２０１９年４月９日閲覧

※9：MIHO MUSEUM：宗教法人・神慈秀明会の開祖小山美秀子コレクションを展示するため、滋賀県甲賀市信楽町に1997年11月開館。イオ・ミン・ペイ設計による同美術館は、周囲の自然景観保全に配慮し、建築容積のおよそ8割が地下に埋設されています。日本から古代オリエントにわたるコレクションは約3000件からなり、そのうちの約250〜500点を常時公開しています。

※10：イオ・ミン・ペイ（Ieoh Ming Pei，1917年〜2019年）：中華民国・広州市生まれ。香港のセント・ポール・カレッジ卒業後に渡米し、1940年マサチューセッツ工科大学を卒業。第二次世界大戦を挟み、1946年ハーバード大学にて建築学修士号を取得。1965年に自身の建築設計事務所「I．M．ペイ&パートナーズ」をニューヨークに設立します。プリツカー賞（1983年）、高松宮殿下記念世界文化賞（1989年）、UIAゴールドメダル（2014年）など受賞歴多数。代表作にルーヴル・ピラミッド、米国・ボストンのジョン・F・ケネディ図書館、そしてルクセンブルク・ジャン大公近代美術館などがあります。

※11：IMFは年に2度、世界各国・地域の1人当たりの購買力平価（PPP）ベースでGDP（国内総生産）によりランク付けを行っています。
「IMF Data Mapper」2019年4月
https://www.imf.org/external/datamapper/PPPPC@WEO/OEMDC/ADVEC/WEOWORLD
2019年4月9日閲覧

※12：岩間剛一：「LNG輸出大国カタールの最新動向と今後の期待される戦略」一般財団法人　中東協力センター「中東情勢分析」2016年12月号を参考にしています。

※13：イスラム教徒のうち87％～90％がスンニ派、10％～13％はシーア派と推定されています。両派のはじまりは、預言者ムハンマド以降のイスラム教指導者決定方法を巡っての意見対立が発端となっています。また、本書では、サウジアラビアのワッハーブ派（宗派としてはスンニ派に属するが、その下位宗派に数えられる場合もある）もスンニ派に含んでいます。また、ほとんどの国において、両派は混在しています。

※14：ムスリム同胞団：20世紀前半にエジプトで誕生したスンニ派の代表的社会運動・宗教運動組織で、長い間、非合法組織として政権に抑圧されてきました。世俗法ではなく、シャリーア（イスラム法）によって統治されるイスラム国家確立を目指しています。同団と敵対するエジプト、シリア（アサド政権）、サウジアラビア、ＵＡＥ、バーレーンはテロ組織に指定し、組織の活動を禁止しています。

※15：アルジャジーラ：カタールのドーハに本社を置き、アラビア語と英語によるニュースを24時間放送している衛星テレビ局。１９９６年11月1日に、カタール首長（当時）であるハマド・ビン・ハリファ・アール＝サーニーより5億カタール・リヤル（約1億３７００万ドル）の支援を受け設立されました。

※16：「ダビンチの『救世主』、サウジ皇太子の豪華クルーズに「アートネット」Bloomberg　２０１９年6月12日
https://www.bloomberg.co.jp/news/articles/2019-06-11/PSX9UV6KLVR401
「ダビンチ作？　今どこに？　謎呼ぶ５００億円の絵画『サルバトール・ムンディ』」　AFP BB NEWS　２０１９年4月30日

https://www.afpbb.com/articles/-/3223150を参考にしています。
2019年7月6日閲覧

第4章
華やかなファッション界とメジャー美術館の相互依存関係

第4章　華やかなファッション界とメジャー美術館の相互依存関係

4-1　世界中からセレブリティが集まる「METガラ」のレッド・カーペット

毎年5月になるとニュース・サイトやインスタグラムなどのSNSを賑わすのは、「METガラ」のレッド・カーペットに登場する、セレブリティたちの着飾った姿です。MET（THE METと呼ばれることもあります）とは、米国・ニューヨークのセントラル・パーク東端に位置する世界最大級のメトロポリタン美術館を指します。18万平方メートル超の床面積を誇る同館には、古代から現代に至るあらゆる地域、時代の美術品をはじめ家具や楽器、装飾品そして建築まで、およそ300万点を超えるコレクションが収蔵されています。

例えば、1階のエジプト美術エリアに位置する、大きな温室状のスペースに展示されているのは、紀元前15年頃にローマ皇帝・アウグストゥスにより建造された「デンドゥール神殿」【図25】です。元々ナイル川の畔にあった神殿は、1960年アスワン・ハイ・ダム[※1]の建設によって、水底に沈む運命でした。しかし、米国による1200万ドルの資金援助の返礼として、METに移築されました。

特殊な展示スペースは、同神殿があった元の環境に近い状態を再現するため増築されたものです。水を貯めた池に船着場を設え、象形文字が刻まれた部分に、朝日が当たるよう北側と屋

図 25
デンドゥール神殿　紀元前 15 年頃

根をガラスにしている点からも、そのスケールや飽くなき追求精神を垣間見ることができます。

さて、一見取り澄ましたように見える、このような〝美の殿堂〟も、一皮剥けば、そこには虚々実々の駆け引きが横行する世界が存在しています。惚れ込んだ作品を入手するために、館長自らが危ない橋を渡って取引したり、CIA対KGBの争いも斯くやと思わせる情報戦を制し、目当ての傑作を競り落としたりと、まるで映画『007シリーズ』や『大統領の陰謀』のようです。

こうした内幕を『ミイラにダンスを踊らせて―メトロポリタン美術館の内幕』などの著書にまとめたのが、1967年わずか

35歳でMETの第7代館長に就任し、以後10年間に亘って、同館を様々な改革手法により現在の隆盛へと導いたトマス・ホーヴィング(Thomas Hoving, 1931〜2009年)[※2]です。アートをテーマにした凡庸な書誌が多い中で、同書は正に「事実は小説より奇なり」を地で行く、良質なドキュメンタリーにしてエンターテインメントです。

特にオリベッティ社[※3]の大型協賛を得て、洪水で大規模な被害を受けたフレスコ画を、修復後に初めて公開した『フレスコ画の偉大な時代』展における、正に〝一人電通〟ともいうべき八面六臂の大活躍。そして、ディエゴ・ベラスケス(Diego Velazquez, 1599〜1660年)の最高傑作《ファン・デ・パレーハ》(1650年)を手に入れる下りは、手に汗握る展開に度肝を抜かれることでしょう。

そして、この時、ベラスケス獲得のためにディアセッショニング(新規購入のための収蔵作品売却)の対象となり、泣く泣く同館が手放したアンリ・ルソーの名作《熱帯(密林の猿たち)》(1910年)は、老獪なユダヤ人ギャラリストであるマールボロー・ギャラリーのフランク・ロイド(フランツ・クルト・レヴァイ：Frank Lloyd, 1911〜1998年[※4])の手を経て、日動画廊社長の長谷川徳七(1939年〜)が後に日本のとある企業に収めたと聞いています。

このあたりの話は、ホーヴィングの著書と共に、『私が惚れて買った絵[※5]』や『ユダヤ人と近代美術[※6]』を読んでみれば、その興味深い繋がりを知ることができるはずです。

さて、ディアセッショニングという言葉が出てきましたが、世界に冠たるMETは、公立ではなく純然たる私立美術館であり、それはニューヨーク近代美術館（MoMA）をはじめとする、米国のほとんどの美術館も同様です。そのため館の運営や作品購入のために莫大な寄付金を集める、いわゆるファンドレイジング（民間非営利団体による資金調達[※7]）が必要となってきます。

冒頭の「METガラ」とは、メトロポリタン美術館のコスチューム・インスティテュート（服飾研究部門）が、毎年5月に開催する企画展を祝うと共に、盛大なパーティーを行ってその収益金を寄付するチャリティ・ガラパーティーを指しています。世界中のセレブリティが、企画展のテーマに合わせ趣向を凝らしたドレスで集う、華やかな慈善パーティーを主催するのは、〝プラダを着た悪魔〟こと、US版「VOGUE」誌の編集長であるアナ・ウィンターです。５５０～６００席限定という特別な宴の席料は、一人当たり3万ドル（約３４０万円）と破格です。そして、一晩で集まる寄付額はおよそ１３５０万ドル（約15億円）にも上り、それは同部門における年間活動費の大半を賄っているようです。

１９４８年に設立された、コスチューム・インスティテュートの資金調達を目的にはじまったMETガラは、当初プレビューのチケットも、ディナー参加費もそれぞれが50ドル程度でした。しかし、１９９５年にウィンターが責任者に就任すると、現在の姿へ向け年々絢爛で豪華な催しへと変化していきます。彼女は毎年のテーマ設定から、スポンサー探し、そしてパーティーの席次まで、その全てに深く関与しているのです。

テーマ展は1971～1972年開催の『Fashion Plate（スタイル画）』展（会期：1971年10月～1972年1月）からスタートし、1999～2000年の『Rock Style（ロック・スタイル）』展（会期：1999年12月9日～2000年3月19日）までは、年を跨いで開催されていました。

しかし、2000年の休止を経て、2001年『Jacqueline Kennedy：The White House Years（ジャクリーン・ケネディ：ホワイト・ハウス時代）』からは、基本的に年次企画へと変更になっています。そのジャクリーン・ケネディ・オナシス（Jacqueline Lee Bouvier Kennedy Onassis, 1929～1994年　彼女は、ジョン・F・ケネディが亡くなった後、ギリシャの海運王であるアリストテレス・オナシスと二度目の結婚をしています）は、1979年12月のMETガラに参加しています。その年のテーマは『Fashions of the Habsburg Era（ハプスブルク朝時代のファッション）』でしたが、彼女はヴァレンティノ（VALENTINO GARAVANI）の黒いストラップレス・ドレスに、揃いのケープレットを纏っていました。

４－２　趣向を凝らした年次テーマ展

コスチューム・インスティテュートの年次企画展と、その開催を祝うＭＥＴガラのテーマは、長い時間を掛けて、同研究所の首席キュレーターであるアンドリュー・ボルトンと、前出のウィンターによって慎重に協議された上で、具体化されていきます。

ボルトンは英国出身で、大学で人類学、大学院では非西洋世界の美術を学び、ロンドンのヴィクトリア・アンド・アルバート博物館でそのキャリアをスタートさせました。同館は、17世紀から21世紀に至る包括的な服飾コレクションを有し、最近では史上最大規模のディオール回顧展である『Christian Dior : Designer of Dreams（クリスチャン・ディオール：夢のデザイナー）』（会期：２０１９年2月2日～7月14日）や、スウィンギング・ロンドン（１９６０年代のポップ・カルチャー）を代表する英国のデザイナーであるマリー・クワントの展覧会を開催するなど、ファッションに強い博物館として知られています。

加えて、日本にも巡回したデヴィッド・ボウイ（David Bowie, １９４７～２０１６年）の50年間に亘る創作活動を振り返る『DAVID BOWIE is』展（会期：２０１３年3月23日～8月11日、日本巡回展・会期：２０１７年1月8日～4月9日、会場：天王洲・寺田倉庫Ｇ１ビル）や、ピンク・フロイドの回顧展『The Pink Floyd Exhibition : Their Mortal Remains（ピンク・フロイド展：彼らの遺体）』（会期：２０１７年5月13日～10月1日）といったポピュラー・ミュージックやロックの展覧会にも力を入れています。こうした稀有な存在の博物館で、様々な企画に関わってきたことが、現在のボルトンをつくり上げたといっても過言ではないでしょう。

ボルトンが「我々は常に、ダイナミックかつ、過去から現在に至るまでの題材を取り扱うべく様々な候補を用意している。特定のテーマに沿ったものだけでなく、一人のデザイナーに焦点を当てることももちろんある。それらを融合させることが重要なんだ」と語るように、丹念なリサーチに基づき考え出されたテーマは、同館上層部の承認を得た後、ウィンターと共にスポンサー探しから、パーティーの招待者とその席次に至るまで、細心の注意を払って練り上げられるといいます。

いまやMETガラにとって、彼女の存在は必要不可欠なのです。こうした功績を讃え、2014年以降同研究所の一部は、「アナ・ウィンター・コスチューム・センター」と名付けられています。なお2008年に、大英帝国勲章を授与されていることからもわかる通り、彼女もボルトンと同様英国出身です。

いくらファッションを扱っているとはいえ、時には政治的な問題を避けて通ることはできません。例えば、2018年の『Heavenly Bodies : Fashion and the Catholic Imagination

(天国のボディ：ファッションとカトリックのイマジネーション)』を企画するにあたって、当初ボルトンは仏教、ヒンズー教、イスラム教、ユダヤ教、そしてカトリック信仰という、５つの信仰体系について研究していました。

ところが、カトリック関連の同館収蔵品が傑出して素晴らしく、ファッションに対する影響も大きかったことから、途中で方針を変更したそうです。また、展覧会が適切な根拠に則り、信仰への敬意や配慮がなされている点を保証することを条件に、ヴァチカンからの展覧会開催に対する同意を取り付けたといいます。[※8] ちなみに２０１８年はテーマに合わせ本館だけではなく、フランスから移設された12世紀から15世紀の修道院回廊（クロイスター）群で構成された、メトロポリタン美術館別館クロイスターズも展覧会の会場となっています。ここは、ホーヴィング元館長が、学芸管理責任者を務めていた施設でもあります。こうしたプロセスを経て、世界中の耳目を集める展覧会が毎年生み出されていくのです（図表8）。

なお２０１７年には、年次企画唯一の日本人デザイナーとして川久保玲／コムデ ギャルソンが取り上げられています。存命のデザイナーとしては、１９８３年の『Yves Saint Laurent: 25 Years of Design（イヴ・サンローラン：デザインの25年）』（会期：１９８３年12月14日～１９８４年9月2日）以来で、史上二人目の快挙となります。

(図表8)　コスチューム・インスティテュート年次企画展テーマ・会期一覧

(2001～2019年)

年	テーマ	会期
2001	Jacqueline Kennedy : The White House Years (ジャクリーン・ケネディ：ホワイト・ハウス時代)	5月1日~7月29日
2002	実施せず	
2003	Goddess : The Classical Mode (女神：古典的モード様式)	5月1日~8月3日
2004	Dangerous Liaisons : Fashion and Furniture in the 18th Century (危険な関係：18世紀のファッションと家具)	4月27日~8月8日
2005	The House of Chanel (シャネルの家)	5月5日~8月7日
2006	Anglo Mania : Tradition and Transgression in British Fashion (英国かぶれ：英国ファッションにおける伝統と侵略)	5月3日~9月6日
2007	The Poiret : King of Fashion (ポール・ポワレ：20年代初頭に活躍したファッションの王様)	5月9日~8月5日
2008	Superheroes : Fashion and Fantasy (スーパー・ヒーロー：ファッションとファンタジー)	5月7日~9月1日
2009	The Model As Muse : Embodying Fashion (ミューズ〈学問・芸術の女神〉としてのモデル：ファッションの化身)	5月6日~8月9日
2010	American Woman : Fashioning a National Identity (アメリカ女性：国民性をファッション化する)	5月5日~8月10日
2011	Alexander McQueen : Savage Beauty (アレキサンダー・マックイーン：野生の〈狂暴な〉美)	5月4日~8月7日
2012	Schiaparelli and Prada : Impossible Conversation (スキャパレリとプラダ：不可能な会話)	5月10日~8月19日
2013	Punk : Chaos to Couture (パンク：混沌からクチュールへ)	5月9日~8月14日
2014	Charles James : Beyond Fashion (チャールズ・ジェームス：ファッションを超えて)	5月8日~8月10日
2015	China : Through the Looking Glass (鏡越しに見た中国)	5月7日~9月7日
2016	Manus x Machina : Fashion In An Age Of Technology (手仕事×機械：テクノロジー時代のファッション)	5月5日~9月5日
2017	Rei Kawakubo / COMME des GARÇONS : Art of the In - Between (川久保玲／コム デ ギャルソン："間" の芸術)	5月4日~9月4日
2018	Heavenly Bodies : Fashion and the Catholic Imagination (天国のボディ：ファッションとカトリックのイマジネーション)	5月10日~10月8日
2019	Camp : Notes on Fashion (キャンプ：ファッションについてのノート)	5月9日~9月9日

著者作成

４-３　ファッション展の世界でも、台頭するチャイナ・パワー

２０１８年のMETガラでは、聖母マリアや聖職者を彷彿させる、贅を凝らした装いの参加者たちが、レッド・カーペットを賑わせていました。ミトラ（司教冠）やカッパ・マグナ[※9]を思わせるメゾン・マルジェラ[※10]を纏ったリアーナ[※11]や、大きな翼を広げ、まるで大天使のようなドレス（ヴェルサーチ）に身を包んだケイティ・ペリー[※12]（Katy Perry、１９８４年〜）がフラッシュを浴びる中、シックなオスカー・デ・ラ・レンタ[※13]（Oscar de la Renta、１９３２〜２０１４年）のドレスを着した女性に注目が集まっていました。

彼女こそ若干28歳で、METコスチューム・インスティテュートの最大にして最年少のパトロンとなった、中国人投資家の余晩晩（ウェンディ・ユー：Wendy Yu）です。彼女は、アジア最大の木工製品メーカーである夢天グループ創業者・余静淵（ユー・ジンユェン：Jingyuan Yu、１９６３年〜）の一人娘で、15歳で英国の上流階級子女が集まる寄宿学校に留学し、その後ロンドン・カレッジ・オブ・ファッションで学んでいます。[※14] ２０１５年には、自身のベンチャー・キャピタル企業であるユー・ホールディングス社を設立し、中国版Ｕｂｅｒ（ウーバー）「滴滴出行（ディーディーチューシン）」や、Ａｉｒｂｎｂ（エアビーアンドビー）「途家（トゥージア）」などに投資しています。

ボルトンとウィンターは、彼女の寄付目的について話し合い、「主席キュレーターというポ

ジションに対する永続的な支援」というアイデアを決定、提案しました。関係者によると、寄付額は3億～4億ドル（約335億～445億円）に上ると噂されています。今後、ボルトンと彼の後継者として同ポジションに就く者は「the Wendy Yu curator in charge for the Metropolitan Museum of Art's Costume Institute（氏名＋ウェンディ・ユー・キュレーター・イン・チャージ・フォー・ザ・メトロポリタン・ミュージアム・オブ・アーツ・コスチューム・インスティテュート）」を名乗ることになったのです。※15

一方で、美術館は寄付金の出所について、最近はとても神経質になっています。加えて、どんな大金を積まれたとしても、それが倫理に抵触する恐れがあるなら、寄付を断ったり返金したりすることさえあり得るのです。

米国の富豪サックラー・ファミリーは、世界各地の美術館や博物館、更には大学、研究センターなどに巨額の寄付を行う慈善事業で知られています。そして、その名を冠した建物や展示スペースは、至る所に存在しています。

同家は医薬品メーカーであるパーデュー・ファーマ社の創業一族で、オピオイド系鎮痛薬「オキシコンティン」の販売で350億ドル（約3兆3900億円）以上の収益を上げ、130億ドル（約1兆4400億円）にも上る財を成したといわれています。しかし、同薬の過剰摂取による米国での死者数は4万7000人、依存症患者数は（類似する鎮痛剤を含めて）

１７０万人（２０１７年）にも達しており、一族の責任を問う声は日増しに高まっています。自身もオピオイド中毒経験者であったナン・ゴールディン（Nan Goldin、１９５３年〜）[※16]からの「寄付を受けるなら、回顧展は行わない」という強い抗議によって、ロンドンのナショナル・ポートレイト・ギャラリーは、サックラー・ファミリーからの寄付金１００万ポンド（約１億４５００万円）授受を見送りました。

その後、こうした動きは、テート・モダン、ヴィクトリア・アンド・アルバート博物館、そしてニューヨークのグッゲンハイム美術館へと瞬く間に伝播していきます。そして、遂にはメトロポリタン美術館も、２０１９年5月15日一族からの寄付を、今後は一切受け入れない方針を発表したのです。[※17]

本章の冒頭でご紹介したデンドゥール神殿を含む「サックラー・ウイング（棟）」は、アーサー、モーティマー、そしてレイモンドの3兄弟により１９７８年に寄贈されています。ホーヴィングは『ミイラにダンスを踊らせて』の中で、第3次中東戦争直後にエジプト神殿保存資金を募ることの難しさを嘆き、サックラー一族の長兄アーサーを口説き落とすエピソードについても記しています。[※18]

追記

２０１９年９月15日パーデュー・ファーマ社は、ニューヨーク州の連邦裁判所に破産法の適用を申請しました。サックラー・ファミリーは現金30億ドル（およそ３２４０億円）に加え、一族が保有するムンディファーマを売却することで、更に15億ドル以上を薬物乱用被害者救済に充てることを提案しています。

４-４　アートとファッションの共存関係

２０１７年４月20日、中央区銀座六丁目に複合商業施設GINZA SIXがオープンしました。基本設計並びに、ファサードの「ひさし」や「暖簾」をイメージした外観デザインを手掛けたのは谷口吉生（１９３７年～）[※19]です。２０１３年６月に、同地の松坂屋銀座店が閉店してから、およそ４年の歳月が経っていました。

２階から６階を貫く中央吹き抜けスペースに設置された、草間彌生（１９２９年～）の巨大な《南瓜》作品（森美術館監修）【図26】が、訪れる人々を圧倒しています。更に、リビングウォールの中央通り側吹き抜けには、滝を物理的な水の運動シミュレーションとして再構築したチーム

図 26
草間彌生《南瓜》 2017 年
GINZA SIX 2 階中央吹き抜けインスタレーション
展示期間：2017 年 4 月 20 日～ 2018 年 3 月 21 日　© YAYOI KUSAMA

ラボの《Universe of Water Particles on the Living Wall》が、そして同じく三原通り側吹き抜けにも、パトリック・ブランによる崖の上から谷底へ至る垂直庭園《Living Canyon》が、約12メートルの高さを活かし常設展示されています。

なぜ、同施設は貴重な売場面積を犠牲にしてまで、アート作品の展示にこだわるのでしょうか？　その秘密は、事業運営主体であるGINZA SIXリテールマネジメント株式会社にありそうです。同社は、J.フロント・リテイリンググループの中核企業である株式会社大丸松坂屋百貨店を中心に、森ビル株式会社、住友商事株式会社、そしてL Catterton Real

Estate（L・キャタルトン・リアルエステート）の共同出資により設立されました。[※20]

最後の一社に見覚えがない読者の方も少なくないと思いますが、LVMHグループ[※21]の不動産投資・開発会社です。そう考えると、施設1階にDior/Christian Dior（ディオール/クリスチャン・ディオール）、CELINE（セリーヌ）、FENDI（フェンディ）、LOEWE（ロエベ）、FRED（フレッド）といった同グループ傘下のハイエンド・ブランドが、軒を連ねていることにも合点がいきます。国内はもとより、アジア各国からの富裕な観光客に向け、銀座の目抜き通りに店舗を構えることは、同グループ企業にとっては必須といえますが、今回の大型再開発に共同出資・参画することによって、そうした課題は一気に解決したことでしょう。

そもそも森ビルは、最も高い賃料がとれる六本木ヒルズの最上層に、自社で運営する美術館を配置しています。そこには、「文化という要素を取り入れた都市づくりを進めることで、森ビルはデベロッパーの使命を果たす」という先代・森稔社長の強い信念があったといいます。[※22]森結果的に、『レアンドロ・エルリッヒ展：見ることのリアル』（会期2017年11月18日〜2018年4月1日）は、開館記念展に次ぐ61万4411人の入館者を達成する[※23]など、その試みは徐々に実を結びつつあります。

また、森ビルは東京に新たなアートのデスティネーションを創出すべく、チームラボと共同でお台場のパレットタウンに、1万平方メートルの「MORI Building DIGITAL ART MUSEUM：

図 27
お台場　MORI Building DIGITAL ART MUSEUM : EPSON teamLab Borderless
《人々のための岩に憑依する滝》
Exhibition view, MORI Building DIGITAL ART MUSEUM : EPSON teamLab Borderless, June 2018- permanent, Tokyo ©teamLab

EPSON teamLab Borderless」（以下MoDAM）【図27】を、2018年6月21日にオープンしています（両社は共同で、事業主体となる森ビル・チームラボ有限責任事業組合を設立し、同事業組合を通じてMoDAMを運営しています）。同施設は、開館1年間で入館者230万人を達成。そのうち、およそ50％は、世界160ヶ国以上から訪れた外国人観光客でした。※24

一人当たり3200円（高校生以上大人）という入館料を考えると、アートもやり方次第では新規ビジネスとして、大いなる可能性を有していることをご理解いただけると思います。

このような森ビルのアートに対す

る取り組みにより、2019年3月期、六本木ヒルズは7期連続増収に加え過去最高売上高を更新しています。加えて、同社が手掛ける6つの商業施設全てが前年実績を上回り、合計で前期比6・2%増と非常に好調でした。更には、大型複合施設「お台場パレットタウン」内のヴィーナスフォートも、MoDAMの集客効果（入館者数は1・2倍）と大規模改装が功を奏し、一時期落ち込んだインバウンドの売上げが復調傾向にあるといいます。※25

チームラボは、『宇宙と芸術展：かぐや姫、ダ・ヴィンチ、チームラボ』（会期：2016年7月30日〜2017年1月9日）で初めて《追われるカラス、追うカラスも追われるカラス、そして衝突して咲いていく − Light in Space》（2016年）を森美術館で展示しています。そして、前述のようにGINZA SIX内には、彼らの作品が常設展示されています。好調なMoDAMとヴィーナスフォートへの波及効果は、美術館内での〝展覧会という実験〟を通じて得た考察結果を、実ビジネスに展開するという森ビルならではの経営戦略といえるでしょう。

また、2019年3月からは、GINZA SIX中央吹き抜けスペースに設置されたアート作品は、森美術館における大規模回顧展『塩田千春展：魂がふるえる』（会期：2019年6月20日〜10月27日）に先駆け、彼女の《6つの船》※26へと変更されています。展覧会の事前告知を兼ねながら、アートをキーにして、銀座と六本木の商業施設間相互の集客を図る、鮮やかな手法といえます。

ただし、こうした試み自体は、パリ7区にある世界最初の百貨店ル・ボン・マルシェ・リブ・ゴーシュでも行われており、塩田は銀座に先立ち、２０１7年に白い糸で紡がれた１５０隻の船《どこへ向かって》を、既に同所で展示・発表しています。

ネット通販大手に押され、収益性が悪化している既存の百貨店ビジネスに対し、アートを活用することで「脱百貨店」を目指すGINZA SIXをはじめ、森ビル及びパートナー企業による新形態の商業施設からは、しばらく目が離せそうにありません。

同時にこうした手法は、その存続に民間の資金やノウハウを必要としている、多くの公共（的な）文化施設にとっても重要になっていくことが予想されます。

4-5　スーザン・ソンタグの「キャンプ」について考える

ルイ・ヴィトンは青山、そしてシャネルとエルメスは、銀座の旗艦店に、それぞれ専用のギャラリー・スペースを有しています。そして国内のみならず、GUCCI（グッチ）やSAINT LAURENT（サンローラン）を傘下に収めるKERING（ケリング）※27を率いるフランソワ・アンリ・ピノー会長兼最高経営責任者は、ヴェネツィアに安藤忠雄リノベーションによる美術館プンタ・デラ・ドガーナを有し、かたやライバルのＬＶＭＨグループは、ルイ・ヴィトン財団がパリ・ブローニュの森に、フランク・ゲーリー（Frank Owen Gehry，１９２９年〜）設計によるフォンダシオン・ルイ・ヴィトン美術館を2014年10月に開館しています。

ファッションとアートの接近がビジネスにもたらす大きな影響は、これらの事象から明かであるといえます。また、METガラのように、ファッション界はメジャー美術館と手を組むことによって、アートの歴史に自らを組み込み、権威付けを行っていることも、また事実でしょう。

さて、2019年メトロポリタン美術館コスチューム・インスティテュートの年次企画展テーマは、少々難解な『Camp: Notes on Fashion（キャンプ：ファッションについてのノート）』でした。これは作家で評論家のスーザン・ソンタグ（Susan Sontag, 1933～2004年[※28]）のエッセイ『Notes on 'Camp'（「キャンプ」についてのノート）』（1964年[※29]）に基づいており、端的にいえば「仰々しい、芝居がかった、同性愛的なもの」（オックスフォード英語辞典）となるのですが、それだけに終わらない深い意味を有しています。

松岡正剛（1944年～[※30]）の説明が正鵠を射ているので、ここでご紹介したいと思います。曰く「スタイルを基準にして見た世界のヴィジョンの断片であって、それゆえそこからはどんな多義性もどんな両性具有性も、またどんな変更をも許容する編集可能性がかいま見えているはずの様式感覚なのだ[※31]」と。

片や〝ザ・ウェンディ・ユー・キュレーター・イン・チャージ・フォー・ザ・メトロポリタ

ン・ミュージアム・オブ・アーツ・コスチューム・インスティテュート〟（まるで落語『寿限無』のようですね）のアンドリュー・ボルトンは、「私たちはいま、非常にキャンプな瞬間を生きています。（キャンプの美学は）しばしば空虚なものとして却下されがちですが、実はとても洗練された考え方で、政治的ステートメントにもなるパワフルなツールとなりえるのです。さまざまな要素を含んでおり、ポップキャンプ、奇妙なキャンプ、ハイキャンプ、政治キャンプのいずれの観点においても、トランプ大統領はまさにキャンプを象徴するような人物なので、とてもタイムリーなテーマだと考えています」とコメントしています。※32

そして、「キャンプ」については「長年語られてきましたが、明確な定義はまだありません。表現されるものに、誇張された、人工的な、皮肉的なものが含まれている、という考えは共通しています。クィア※33文化から発生した、と考える人もいるでしょう。でも、それ自体に形はなく、変化しやすく、寄生的なもので、定義することが不可能なのです」とも語っています。

今回、METの展示では、様々な要素や意味を持ち、定義しにくい「キャンプ」という考え方について、ファッションとクィア文化の関係性から掘り下げる試みがなされています。

彼は続けて「展覧会を支えるアイデアのひとつは、あまりにも無形化してしまった美学を特定し、そのルーツと由来を可視化しようというものです。それが言わんとする美学は、無意識に使われ続けているのです。おもしろいことに、小さな子どもは、ドラァグクイーンやジェンダーの流動性を意識したり考えたりすることなく、自然に理解できます。なぜなら、すでに日々の生活に溶け込んでいるから。だからこそ、改めて『キャンプ』に焦点を当てて議論を交わし、その価値をまた認識したいのです」[※34]とも述べています。

同展では、ヴィクトリア朝時代（1837〜1901年）のクィアな詩人オスカー・ワイルド（Oscar Wilde, 1854〜1900年）やクロスドレッサー（異性装者）・デュオであるファニー・アンド・ステラからHIV感染公表の先駆的存在である映画監督のデレク・ジャーマン（Derek Jarman, 1942〜1994年）まで、LGBTQアイコンたちが辿った歴史と、それを取り巻く社会状況にも目を向けています。

このような現状を踏まえて、次章では、LGBTQとアートの関係性や、それらが社会に及ぼす少なくない影響について述べていきたいと思います。

第4章　註釈

※1：アスワン・ハイ・ダム：エジプト南部アスワン地区のナイル川に造られたられた高さ111メートル、

全長３６００メートルの巨大なロックフィル（岩石や土砂を積み上げ建設する）型式のダム。１９７０年の同ダム完成後は、ナイル川の氾濫を防止すると共に、12基の水力発電装置が２１０万キロワットの電力を供給、更には農業用水の安定による砂漠緑化も促進。

※２：トマス・ホーヴィング（Thomas Hoving, １９３１～２００９年）：ティファニー社の創業家に連なる家に生まれ、プリンストン大学で１９５８年修士、翌１９５９年博士を取得後ＭＥＴに入職し、１９６５年にはクロイスターズ（ＭＥＴの中世美術を扱う別館）の管理ポストに就きます。一旦、同館を離れますが、前任者ジェームズＪ.ロリマーの死によって、１９６７年わずか35歳で第７代館長に就任しました。主な著作に『ミイラにダンスを踊らせて―メトロポリタン美術館の内幕』（東野雅子訳、白水社、２０００年）、『謎の十字架―メトロポリタン美術館はいかにして世紀の秘宝を得たか』（田中靖訳、文藝春秋、１９８６年）、『名画狩り』（田中靖訳、文芸春秋、１９８９年）など。

※３：オリベッティ（Olivetti）：１９０８年イタリアのピエモンテ州イヴレーアでタイプライターの製造・販売会社として創業されました。かつては大型コンピューター開発生産事業を行っていましたが、現在はテレコム・イタリアに買収され、主にシステム・ソリューション事業を運営しています。１９６９年にエットレ・ソットサスがデザインした、真っ赤なポータブル・タイプライター『ヴァレンタイン』で、一躍その名が世界に知られるようになりました。

※４：フランク・ロイド（フランツ・クルト・レヴァイ／Frank Lloyd, １９１１～１９９８年）：１９１１年にオーストリアのウィーンで、裕福な家具商を営むユダヤ人家庭に生まれます。オース

トリアがナチス・ドイツに併合されると、フランスへ逃れ、英国・ロンドンで第2次世界大戦の終戦を迎えます。翌1946年ロンドンに、そして1963年にはニューヨークにマールボロー・ギャラリーを設立します。マチス、セザンヌ、マーク・ロスコやフランシス・ベーコンを扱っています。

※5：長谷川徳七（1939年〜）1964年慶應義塾大学を卒業し、住友銀行東京支店に入行。1965年日動画廊に入社し、1976年創業者であり父である長谷川仁の跡を継ぎ、代表取締役に就任します。1979年にオフィシエ芸術文化勲章、1998年にはコマンドール芸術文化勲章をフランス政府より授与されています。主な著書に『私が惚れて買った絵』（株式会社日動　出版部、1999年）や、『画商の生きざま』（講談社エディトリアル、2017年）。

※6：圀府寺司著『ユダヤ人と近代美術』（光文社　2016年）

※7：ファンドレイジング：民間非営利団体（日本では、公益法人、特定非営利活動法人、大学法人、社会福祉法人などが含まれます）が、その活動資金を個人、法人、政府などから調達する行為の総称。

※8：「メトロポリタン美術館のファッション展覧会のテーマが決まるまで。（METガラ2018）」VOGUE JAPAN　2018年5月5日を参考にし、また、一部を引用しています。
https://www.vogue.co.jp/celebrity/news/2018-05/05/met-gala
2019年5月5日閲覧

※9：ミトラ（司教冠）とは、カトリック教会、聖公会、正教会において、司教（カトリック）や主教（聖

公会・正教会）が典礼（奉神礼）執行時に被る冠を指します。カッパ・マグナは、同様に司教が祭儀の時に使用するケープ状の祭服。

※10：メゾン・マルジェラ（Maison Margiela）：ベルギー出身のファッションデザイナーであるマルタン・マルジェラ（Martin Margiela，１９５７年〜）によって、１９８８年にフランスのパリに設立されたファッション・ブランド。

※11：リアーナ（Rihanna，１９８８年〜）：バルバドス（カリブ海・西インド諸島）出身の女性シンガーソングライターであり、女優でモデル。過去14曲が全米チャートで第1位（Billboard Hot100）を記録、また、トップ10圏内にランク・インした曲は31曲に上り、共に全米チャート史上歴代４位を記録しています。グラミー賞は過去9回受賞。

※12：ケイティ・ペリー（Katy Perry，１９８４年〜）：米国のシンガーソングライター。大ヒット・アルバム『ティーンエイジ・ドリーム』（２０１０年）は、Billboard Hot 100で首位を獲得した「カリフォルニア・ガールズ」、「ティーンエイジ・ドリーム」、「ファイアーワーク」、「E.T.」、「ラスト・フライデイ・ナイト（T.G.I.F.）」と、第3位を記録した「ワン・ザット・ゴット・アウェイ」を含んでいます。同作は、マイケル・ジャクソンが『バッド』で持つ、同一アルバムからの全米チャート第1位獲得5曲の記録と並び、女性アーティストとして初の快挙を達成しています。

※13：オスカー・デ・ラ・レンタ（Oscar de la Renta，１９３２〜２０１４年）：ドミニカ共和国出身の米国人デザイナー。50年代にスペインに渡り、マドリードの王立サン・フェルナンド美術アカデミー

で学んでいます。スペインでバレンシアガ、渡仏後はランバン、そしてニューヨークではクリスチャン・ディオールといった有名メゾンで経験を積みます。1965年に自身のブランド「OSCAR DE LA RENTA」をスタート。ジャクリーン・ケネディ・オナシスが、彼のドレスを愛用したことから人気となります。

※14：「中国の富豪娘、英国で上流階級の仲間入り目指す＝『しょせんは成金』ネットの声―中国」Record China　2016年5月5日を参考にしています。
https://www.recordchina.co.jp/b137654-s0-c70-d0044.html
2019年5月5日閲覧

※15：Vincenzo La Torre「Why Chinese billionaire millennial Wendy Yu made groundbreaking donation for Met's Costume Institute」South China Morning Post　2018年10月13日を参考にし、また、一部を引用しています。
https://www.scmp.com/lifestyle/fashion-beauty/article/2168235/why-chinese-billionaire-millennial-wendy-yu-broke-donation
2019年5月5日閲覧

※16：ナン・ゴールディン（Nan Goldin, 1953年～）：米国のアーティスト。ワシントンDCに生まれ、ボストンで育ち、姉の自殺を切っ掛けに14歳で家出し、以後はドラァグ・クイーンの友人たちと共に生活していくことになります。麻薬と暴力、性、そしてエイズに侵された80年代のニューヨークで、自分自身や恋人、親友を撮影した写真集『性的依存のバラード』（1986年）が大きな話題を呼び

ます。１９９４年には日本を訪れ、東京のアンダーグラウンド・シーンを撮影。荒木経惟と『TOKYO LOVE』（１９９４年）を刊行しています。自らの写真作品をスライド・ショーにした《I'll Be Your Mirror》（１９９５年）などの映像ドキュメンタリーも高く評価されています。近年はオピオイド問題の事態改善を訴える団体「P.A.I.N(Prescription Addiction Intervention Now)」を立ち上げ、サックラー・ファミリーによる「世間体ロンダリング」に対する抗議活動にも積極的に関わっています。

※17：「オピオイドで財を成した『現代のメディチ家』美術館が寄付を拒否」AFP BB NEWS　２０１９年４月３日
https://www.afpbb.com/articles/-/3219093
「蜜月の終わり。世界各国の美術館が関係解消を急ぐ『サックラー・ファミリー』とオピオイド中毒問題」美術手帖　２０１９年４月４日
https://bijutsutecho.com/magazine/insight/19598
「米メトロポリタン美術館、製薬創業家の寄付拒絶 オピオイド中毒問題めぐり」
日本経済新聞　２０１９年５月16日
https://www.nikkei.com/article/DGXMZO44862180W9A510C1000000/
以上を、参考にしています。
２０１９年５月16日閲覧

※18：前掲『ミイラにダンスを踊らせて―メトロポリタン美術館の内幕』３１１～３１４ページ

※19：谷口吉生（1937年～）：東京都出身の建築家であり、父はモダニズムの代表的建築家・谷口吉郎。
1960年慶應義塾大学工学部機械工学科卒業、1964年ハーバード大学建築学科大学院修了。

主な作品に、丸亀市猪熊弦一郎現代美術館（1991年）、東京国立博物館・法隆寺宝物館（1999年）、ニューヨーク近代美術館・新館（2004年）などがあります。日本建築学会賞作品賞2度、吉田五十八賞、高松宮殿下記念世界文化賞など多数受賞。

※20：GINZA SIXリテールマネジメント株式会社：詳しくは会社概要をご覧下さい。
https://ginza6.tokyo/about
2020年1月30日閲覧

※21：LVMHグループ（LVMHモエヘネシー・ルイヴィトン）：1987年に設立され、傘下に著名な75ものブランドを有する世界最大のラグジュアリーブランドのコングロマリット。フランス・パリに本社を置くユーロネクスト・パリ上場企業です。

※22：「森ビル、『やせ我慢』こそ本物の街づくり」　日本経済新聞　2018年1月22日
https://www.nikkei.com/article/DGXMZO25913860Z10C18A1XQ1000/
を参考にし、また、一部を引用しています。
2019年5月16日閲覧

※23：「来場者61万人突破！『レアンドロ・エルリッヒ展』閉幕」森美術館ニュース　2018年4月4日
https://www.mori.art.museum/jp/news/2018/04/1081/

２０１９年５月16日閲覧
※入館者数は、六本木ヒルズ展望台東京シティビューとの共通チケットによるものです。

『レアンドロ・エルリッヒ展』は、その後『塩田千春展：魂がふるえる』（入館者数：66万６２７１人）に抜かれ、現在では歴代第３位の入館者数となっています。
「『塩田千春展』大盛況のうちに閉幕、森美術館歴代入館者数第２位を記録！」森美術館ニュース
２０１９年10月30日
https://www.mori.art.museum/jp/news/2019/10/3631/
２０２０年１月30日閲覧

※24：「森ビルとチームラボによる、世界に類を見ない全く新しいミュージアム、２０１８年６月21日（木）のオープンが決定！　展示作品も続々発表」teamLab NEWS　２０１８年４月26日
https://www.team-lab.com/news/borderless02

チームラボボーダレス　お台場 公式サイト：森ビルデジタルアートミュージアム
https://borderless.teamlab.art/jp/

森ビル・チームラボ有限責任事業組合「MORI Building DIGITAL ART MUSEUM：EPSON teamLab Borderless《オープン１周年》世界１６０ヵ国以上から約２３０万人が来館」
２０１９年６月20日
https://prtimes.jp/main/html/rd/p/000000002.000046076.html

を参考にしています。
2019年7月6日閲覧

※25：「森ビルの商業施設　19年3月期は6施設全てが増収」繊研電子版
2019年5月13日
https://senken.co.jp/posts/moribuilding-190513
森ビル株式会社2019年3月期中間決算報告
https://www.mori.co.jp/company/about_us/financials/investors2018_m.pdf
を参考にし、また、一部を引用しています。
2019年5月16日閲覧

※26：塩田千春（1972年〜）は大阪府出身で、現在ドイツ・ベルリンを拠点に活動する日本のアーティスト。2008年芸術選奨文部科学大臣新人賞受賞。南オーストラリア美術館（2018年）、高知県立美術館（2013年）、国立国際美術館（2008年）などで個展のほか、シドニー・ビエンナーレ（2016年）、キエフ国際現代美術ビエンナーレ（2012年）、横浜トリエンナーレ（2001年）といった国際展にも参加しています。2015年第56回ヴェネツィア・ビエンナーレ日本館代表。
GINZA SIXの《6つの船》は、最大で5メートルにもなる6隻の船が、戦後多くの困難を乗り越え復興を遂げてきた銀座という「記憶の海」に出航、前進していく様子を表しています。

※27：ケリング（KERING S.A.）：傘下にGUCCI（グッチ）やSAINT LAURENT（サンローラン）、Alexander McQUEEN（アレキサンダー・マックイーン）、BALENCIAGA（バレンシアガ）などを擁するパリを本拠地とするコングロマリットで、ＬＶＭＨグループ、リシュモンと並ぶファッション業界大手企業体の一つとして認知されています。

※28：スーザン・ソンタグ（Susan Sontag, １９３３〜２００４年）：米国の作家、評論家。東欧ユダヤ系移民としてニューヨーク市で誕生。カリフォルニア大学バークレー校、シカゴ大学で学士号を得て、ハーバード大学と、オックスフォード大学セント・アンズ・カレッジ、そしてパリ大学大学院では哲学、文学、神学を専攻しました。芸術や医療、政治など幅広い分野について批評活動を行い、小説『死の葬具』、評論『反解釈』、『写真論』、『ラディカルな意志のスタイル』、『隠喩としての病』などを著しています。

※29：スーザン・ソンタグ著『反解釈』（ちくま学芸文庫）高橋康也、由良君美、河村錠一郎、出淵博、海老根宏、喜志哲雄訳 筑摩書房
ソンタグ初期の代表的論考『反解釈』と『キャンプについてのノート』が収録されています。

※30：松岡正剛（１９４４年〜）：京都府出身の編集者、著述家で、東京大学客員教授、帝塚山学院大学教授を歴任。早稲田大学文学部を中退し、１９７１年工作舎を設立し、雑誌『遊』（１９７１〜１９８２年）を創刊。「オブジェマガジン」と称し、あらゆるジャンルを融合し超越した独自のスタイルは日本のアートや思想、デザインに多大な衝撃を与えました。１９８２年に工作舎を退社し、松岡正剛事務所を設立、独自の活動を開始します。２０００年2月から書評サイト「千夜千冊」の

執筆を開始し、２０１３年〝１５００夜〟を達成しました。「生涯一編集者」を自任する松岡が提唱する編集工学とは、人間の思考や社会のコミュニケーション・システム並びに創造性に関わる総合的な方法論を意味しています。

彼は生前のソンタグとは、お互いの仕事場を訪ねるなど密接に交流していたといいます。

※31：松岡正剛の「先夜千冊」６９５夜　スーザン・ソンタグ『反解釈』２００３年1月20日
https://1000ya.isis.ne.jp/0695.html
から引用しています。
２０１９年5月16日閲覧

※32：「テーマは『キャンプ』！　２０１９年『METガラ』はいかに」エスクァイア２０１８年10月14日
https://www.esquire.com/jp/fashion/trends/a212760/fashion-trend-met-gala-　2019-181012-hns/
を参考にし、また、一部を引用しています。
２０１９年5月16日閲覧

※33：クィア（Queer）：性的少数者をＬＧＢＴＱと表現することが多いのですが、これはLesbian、Gay、Bisexual、Transgender、Queerまたは、Questioningの頭文字から取られています。元々はレズビアン（女性の同性愛）、ゲイ（同性愛、特に男性の同性愛）、バイセクシャル（両性愛）、トランスジェンダー（身体と心の性が一致していない、違和感を覚えるなどの状態）をまとめて「ＬＧＢＴ」と呼んでいましたが、近年ではクィア（後述）またはクエスチョニング（自己のジェンダー

や性同一性、性的指向を探している状態）を含めて「ＬＧＢＴＱ」とするケースが増えています。クィアに関しては様々な定義がみられますが、いわゆるＬＧＢＴを含むあらゆる性的少数者を指しています。従って、異性装を好む人々や、特定の性的指向の枠にはめられることを避ける人々なども含んでいます。

※34：「ＭＥＴガラ２０１９を予習せよ！　ＬＧＢＴＱ文化がファッションにもたらした果実。（前編）」
VOGUE JAPAN　２０１９年４月14日
https://www.vogue.co.jp/fashion/trends/2019-04-14/homage-to-queer-icons/cnihub
を参考にし、また、一部を引用しています。
２０１９年5月16日閲覧

第5章

今後の成長が期待される
LGBTQ 市場とアートの深い関係

第5章　今後の成長が期待されるLGBTQ市場とアートの深い関係

5-1　大きな成長が期待されるLGBTQ（レインボー）市場

ＬＧＢＴＱに関する推計市場規模は、米国で約77兆円、世界全体では軽く１００兆円を超えるといわれています。我が国でもＬＧＢＴＱを含む性的少数者は、全人口の7・6％を占め、その市場規模はおよそ6兆円にも上ります（電通ダイバーシティ・ラボＬＧＢＴ調査２０１５年）。いまや20人に1人といわれるＬＧＢＴＱ市場が有する大きな可能性について、本章ではアートを通して探ってゆきます。

行政による同性カップル・パートナーシップ制度や、企業のダイバーシティ・マネジメント推進により、性的少数者あるいは多様性に対する偏見や不利益解消は、ここ数年で劇的に進みつつあります。それに伴って従来と異なる多様な層をターゲットにしたビジネスも、大きくクローズ・アップされてきています。身近なところでは生命保険（同性パートナーの受取人）や、住宅ローン（同性パートナーとの共同ローン）といったサービスを挙げることができます。ただし、それらを利用する場合には、パートナーシップ証明書※1や任意後見契約※2関係書類の提出を求められることがあります。

日本では現在、同性結婚は法的に認められていません。しかし、２０１５年4月に東京都渋谷区が同性のパートナーシップ宣誓制度を開始して以降、北海道札幌市、福岡県福岡市、大阪府大阪市など各自治体が続き、その数は既に20を超えています（２０１９年６月現在）。Ｇ７のうち同性結婚やシビル・ユニオン[※3]を法制化できていないのは我が国のみであり、いずれ法的に同性結婚やそれに類する制度が認められれば、前述のような手続きも大きく簡略化されるものと思われます。

ところで、一般的な異性愛者いわゆるストレート層[※4]と比べ、彼らは家具やインテリア、映像・音楽ソフトといった、自宅で快適に過ごすための製品やサービスを多く消費、利用する傾向にあります。[※5]こうした「レインボー消費[※6]」は、今後のアート市場にも少なからずインパクトを及ぼすものと期待されています。

５-２　２０１７年ロンドンで開催された2つの展覧会と人工知能の父

２０１７年夏、ロンドンのテート・ブリテンでは『イギリスのクィア・アート１８６１－１９６７』展（会期：4月5日～10月1日）が、大英博物館では『欲望、愛、アイデンティティＬＧＢＴＱの歴史』展（会期：２０１７年5月11日～10月15日）が時を同じくして開催されていました。前者は、同国で同性愛者に対する死罪が廃止された１８６１年から、同性愛合法化までおよそ１００年間の美術をクィアな視点によって回顧する展覧会でした。

同展のキー・ビジュアルでもあるハナ・グルックスタイン（Hannah Gluckstein, １８９５〜１９７８年）の《グルック》（１９４２年）は、「あらゆる敬称や引用（符）を付けず、ただ単にグルックとだけ呼んでほしい」[※7]と公言した彼女の、短髪、男装のセルフ・ポートレイトです。作品タイトルのみならず、その厳しい眼差しからは二元論的性別を否定し、自らの基準により自分自身を定義しようとする彼女の強い意志が窺えます。

また、シメオン・ソロモン（Simeon Solomon, １８４０〜１９０５年）による伝説の古代詩人サッフォーと、その愛人であったエリナを描いた《ミティリーニ庭園のサッフォーとエリナ》（１８６４年）は、その明るく端正な画面とは裏腹に、同性愛者として逮捕され、零落していった彼の人生を彷彿とさせる影を感じさせます。

一方で、筋骨隆々な裸体の男性が抽象化された波間を往く《水浴び》（１９１１年）を描いた、ダンカン・グラント（１８８５〜１９７８年）は、平和主義や左派自由主義を掲げ、メンバー間の同性愛やオープン・マリッジ（夫婦以外のパートナーを認め合う関係）を肯定する「ブルームズベリー・グループ」[※8]のメンバーでした。

更に、19世紀を代表する文学者であるオスカー・ワイルド（Oscar Wilde, １８５４〜１９００年）関連では、アルフレッド・ダグラス卿との同性愛により投獄された独房の扉と共に、ロバート・グッローー・ハーパー・ペニントン（Robert Goodloe Harper Pennington,

1855～1920年）が描いた肖像画も展示されていました。[※9] この作品は後に、前章でご紹介したメトロポリタン美術館の年次ファッション企画展『Camp：Notes on Fashion（キャンプ：ファッションについてのノート）』（2019年）にも出品されています。

かたや後者は、およそ800万点の収蔵作品、文化財を誇る大英博物館だけあり、今からおよそ1万1000年前の石器時代後期の石像から、デイヴィッド・ホックニーの《C．P．カヴァフィスの14編の詩のための挿画シリーズ》（1966年）まで、あらゆる年代や国、地域を網羅しての展示でした。その構成も非常にユニークで、館内の常設展示スペースをガイドに従って巡るというスタイルでした。

史上最古の同性愛関係記録ともいわれる、紀元前25世紀～紀元前24世紀・エジプト第5王朝時代のカーヌムホテップとニアンカーカーヌム[※10]に関連した石碑や、同性愛を描いた鈴木春信の春画《風流艶色真似ゑもん　まねへもん五》（1770年）など、同館収蔵品の多彩なバリエーションと層の厚さに圧倒されます。

なかでも白眉といえるのが、古代ローマ時代の

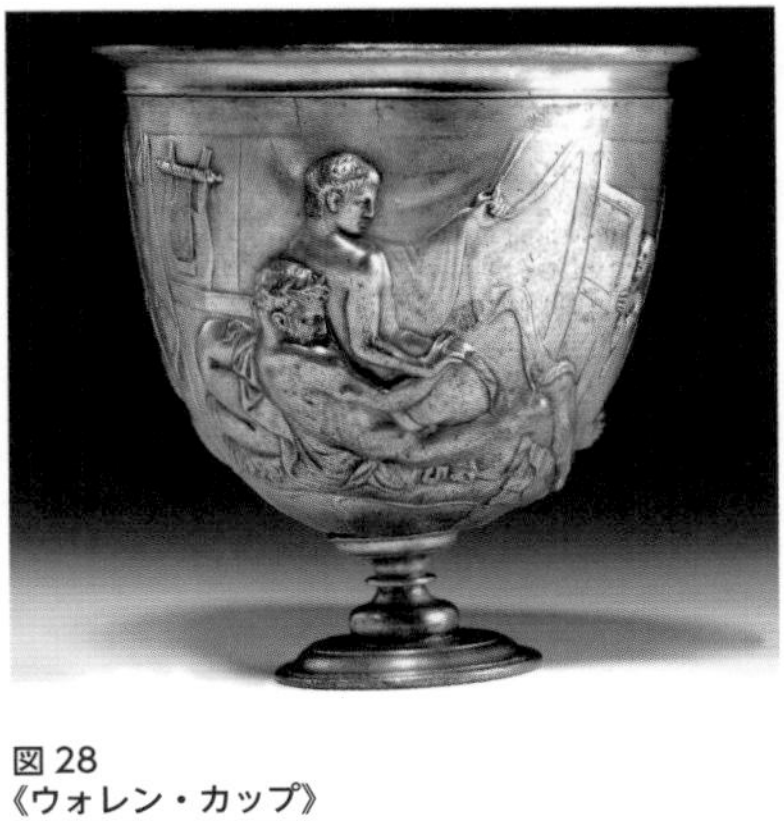

図 28
《ウォレン・カップ》
紀元５年～ 15 年頃
銀製 11.0x9.9（最大）x11.0cm

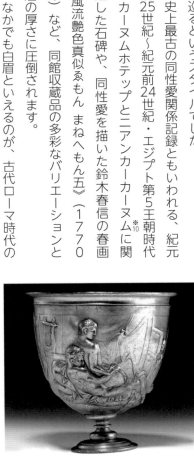

《ウォレン・カップ》（紀元5年～15年頃）【図28】と呼ばれる銀製の酒杯です。両面それぞれに異なる男性同士による性交場面が、ライアー（竪琴）やアウロス（ダブルリードの木管楽器）と共に彫り出されています。[※11]カップはエルサレム近郊のバティアで発掘されたものといわれ、1999年に180万ポンド（およそ3億3000万円）という単一作品への対価としては、当時の最高額で購入されたものです。

これら二つの展覧会は、イングランド及びウェールズにおいて、1967年男性の同性愛が条件付きで非犯罪化されてから、50年という節目を迎えたことを記念し開催されたものです。また、2017年1月31日には、過去に同性愛行為から有罪となり亡くなった人々が赦免され、また、生存者は内務省に届け出ることで有罪記録が抹消される、通称「アラン・チューリング法」も施行されました。

アラン・チューリングは、英国の暗号解読者、コンピュータ科学者であり、彼の名を冠した「チューリング・マシン」[※12]は、コンピュータ誕生に重要な役割を果たしています。それだけでなく「チューリング・テスト」[※13]の開発によって「人工知能の父」とも呼ばれているのです。加えて、第2次世界大戦中には、ドイツ海軍のエニグマ暗号機を利用した通信暗文の解読にも成功し、連合国軍の勝利に大きく貢献しています。ところが、1952年に同性愛による罪（風俗壊乱罪）で逮捕され、1954年失意のうちに、わずか41歳の若さで自死を選んでいます（家族や友人は事故死を主張）。

その後、２００９年にブラウン首相（当時）が、チューリングに対する刑務所への収監と、ホルモン療法の施術を正式に謝罪。２０１３年には、エリザベス女王が死後恩赦を与えるに至り、正式な名誉回復が成されました。

その波乱万丈の人生は、２０１４年に『イミテーション・ゲーム／エニグマと天才数学者の秘密』として映画化され、第87回アカデミー賞では主要８部門にノミネートされ、制作総指揮を兼ねたグレアム・ムーアに脚色賞をもたらしています。また、興行的にも同年のインディペンデント映画としては、最高売上額を達成するなど大きな成功を収めました。更に、チューリングの功績を広く知らしめたことによって、ＬＧＢＴＱ権利推進団体であるヒューマン・ライツ・キャンペーン財団※14からも表彰されています。

一方、些か皮肉な巡り合わせではありますが、この映画の米国における配給を担っていたのは、「#MeToo」ムーブメントで破滅した、ハーヴェイ・ワインスタインのワインスタイン・カンパニーでした。

５-３　アジアで初めてとなる公立美術館でのＬＧＢＴＱ展

時を同じくして、台北當代藝術館（台北現代美術館）でも２０１７年９月『光・合作用ーアジアのLGBTQ問題とアートの現在（光・合作用―亞洲當代藝術同志議題）』展（光・合作用は、分光＝性的少数者同士の協同・統合的な意味／会期：9月9日～11月5日）が開催され、大きな話題となりました。台湾は、性的少数者の権利擁護・確立においては、アジアで最も進んでおり、そうした点からも、アジアで初めてのLGBTQをテーマにした公立美術館での展覧会が実現したものと思われます。同展開催に先立ち、2017年5月には司法院大法官会議（憲法裁判所に相当）が、同性結婚を認めないことを違法であると判断。政府に対して、2019年5月24日までの法改正を義務付けたことが発表されました。

この展覧会を台北市文化基金会、台北當代藝術館と共に共催していたのは、投資家で富裕なコレクターでもあるパトリック・サン（孫啟越）によって、香港で創設されたサンプライド財団（驕陽基金會）です。同財団は「LGBTコミュニティの豊かな創造的歴史の支援と、芸術を通じたより公平な世界構築実現」を目的に活動しています。サンプライド基金会のコレクションを中心に、台湾、香港、中国、シンガポール、そして欧米を拠点とする華人（または、華裔）の参加アーティスト22名による51点は、いずれも性的少数者や多様性をテーマとしており、1960年以降に制作された多種多様な作品で構成されていました。

ノーベル文学賞作家トーマス・マン（Paul Thomas Mann, 1875～1955年）の同名小説を、自らもバイセクシャルを公言していた名匠ルキノ・ヴィスコンティ（Luchino

Visconti，１９０６〜１９７６年）が映画化した『ベニスに死す』[※15]。その名画に想を得たミン・ウォン（Ming Wong，１９７１年〜）による《ベニス生と死》は、ヴェネツィア・ビエンナーレ会場というリアルな設定に主人公を置くことで、過去の物語に新しい生命を吹き込んでいました。

また、１９９０年代から国際舞台で活躍する台湾の王俊傑（ワン・ジュンジエ：Yun-jieh Wang，１９６３年〜）は、バイセクシャルの若き水兵ケレルを巡る殺人、友情と裏切り、同性愛とナルシシズムが渦巻く１９８２年のニュー・ジャーマン・シネマ『ファスビンダーのケレル』から着想した、３チャンネル映像インスタレーションによる新作を出品。

一方、米国をベースに活動する曾怡馨（ツェン・イーシン：Yi-Hsin Tzeng，１９７９年〜）は、エドゥアール・マネ（Édouard Manet，１８３２〜１８８３年）の名作《オランピア》（１８６３年）【図29】をリファレンスした《オリンピア》【図30】で、そのシチュエーションを現代的で多様性に富んだ世界へと変換しています。青天白日満地紅旗はレインボーに染まり、デートの必須アイテムであるヘルメット（スクーターが主たる移動手段の台北では、デートでの二人乗りが多い）を被った女性は、花をつけない観葉植物を手に白人男性の傍らに佇んでいます[※16]。もっとも当の《オランピア》自体が、盛期ルネサンスを代表するティツィアーノ・ヴェチェッリオ（Tiziano Vecellio，１４８８／１４９０〜１５７６年）による《ウルビーノの

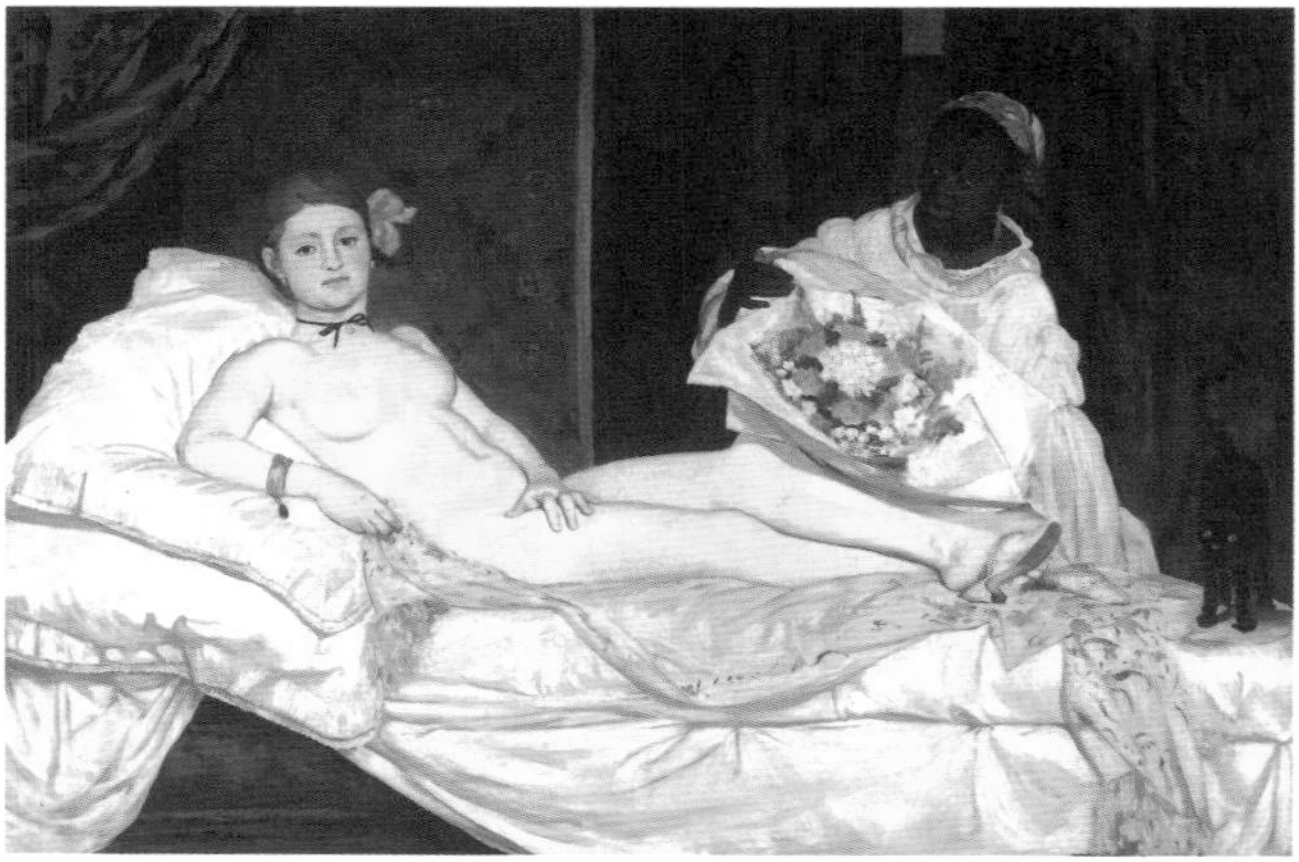

図 29
エドゥアール・マネ《オランピア》
1863 年　油彩、カンヴァス　130.5 × 190.0cm　オルセー美術館蔵

図 30
ツェン・イーシン《オリンピア》
2014 年　アーカイバル・ピグメント・プリント　110.0cm × 152.0cm
©Tzen Yi-Hsin

ヴィーナス》（１５３８年頃）【図31】の構図を借用。女神を娼婦に、子犬を女性器の隠喩である黒猫へと代置し描かれています。

非常に好評を博した同展は、サンプライド基金会とバンコク芸術文化センターの共催により『光・合作用Ⅱ－公平・寛容の表明：東南アジアにおけるＬＧＢＴＱ(SPECTROSYNTHESIS II-Exposure of Tolerance: LGBTQ in Southeast Asia)』展として、２０１９年11月23日に開催されています(２０２０年3月1日まで)。また、同基金会は、近い将来の香港における展覧会開催も視野に入れているようです。[※17]

同展から2年後の２０１９年5月17日、台湾立法院は同性結婚の合法化法案を66対

図31
ティツィアーノ・ヴェチェッリオ《ウルビーノのヴィーナス》
1538年頃、油彩、119.0 × 165.0cm、ウフィツィ美術館蔵

27の賛成多数で可決しました。アジアで同性結婚が認められたのは初めてであり、5月24日に婚姻届受け付けが開始されると、一日でおよそ300組のカップルが手続きを行ったといわれています。

こうした性的少数者の権利確立において、アートが果たす役割をパトリック・サンは、「私は『光・合作用』展で、若い母親が5～6歳くらいの男児を連れ鑑賞している場面に遭遇しました。《心の娘達》の前で、その母親は幼い息子に対し『この世界には女性同士、男性同士、そして女性と男性が愛し合う、様々な愛の形があるのよ』と静かに説明していたのです。プライド・パレード※18から足早に離れ、同性愛活動家が出演するテレビ番組のチャンネルを変える人々が少なくない中で、性的少数者の根本的存在意義を語る彼女の姿勢に心を打たれました。そして、これこそがアートの持つ力であると確信したのです。と同時に、私たちは（台湾における同性結婚合法化が）記念すべき奇跡的な一日や、特別な喜ばしい瞬間に終わってしまわぬよう、これからもより公平で健全なLGBTQコミュニティと社会の関係を育成すべく努力していかなければならないのです※19」と語っています。

その歴史的出来事の翌日・5月25日には、台湾で最も権威がある現代アートのアワードである「第16回台新藝術獎（台新アート・アワード※20）」の視覚芸術部門賞が、蘇匯宇（スー・フイユ：Su Hui-Yu, 1976年～）の《ザ・グラマラス・ボーイズ・オブ・タン　1985チュウ・

グウァン・ジェ（唐朝綺麗男　１９８５邱剛健）》（２０１８年）【図32】に授与されたと発表されました。この作品は、戒厳令下の台湾で１９８５年に制作された邱剛健（チュウ・グウァン・ジェ：Guang-Jian Qiu, １９４０〜２０１３年[※21]）による、同名のクィアなカルト・ムービーの消失部分を新たに撮影、再構築した４チャンネル映像インスタレーション作品です。

５－４　海外と大きく隔たる日本の現状

日本では２０１７年３月銀座のシャネル・ネクサス・ホールで、同ビル設計を手掛けた国際的な建築家ピーター・マリーノ（Peter Marino, １９４９年〜）のプライベート・コレクションによる、ロバート・メイプルソープ（Robert Mapplethorpe, １９４６〜１９８９年）個展

図32
蘇匯宇《唐朝綺麗男　1985 邱剛健》
2018年　４チャンネル・ビデオ・インスタレーション
Courtesy of the artist and Double Square Gallery

「メメントモリ（死を思え）」が開催されました。

彼が撮る男性ヌードは、その同性愛的眼差しと静謐な写真表現追求が合致した作品として、世界中で高く評価されています。日本での大規模展覧会は15年振りということもあり、同展は大きな話題を呼びました。メイプルソープは駆け出しの頃、後に「パンクの女王」と呼ばれるパティ・スミス（Patricia Lee "Patti" Smith、1946年〜）と同棲していました。しかし、別れを告げる彼女に「行かないでくれ！　もし君が僕のもとを去るなら、僕はゲイになる！」と哀願した有名な逸話があります。※22その後、言葉通りゲイSMカルチャーへと身を投じた彼は、その才能を大きく開花させていくことになります。

日本では、メイプルソープの写真集や展覧会カタログに対し、税関が「猥褻図画」に当たると判断、没収した行為の妥当性を巡って、1992年と1999年の2回にわたって裁判で争われています。

また、2014年8月には、愛知県美術館で開催中の「これからの写真」展に展示されている鷹野隆大の男性ヌード写真作品シリーズ《おれと》に性器が写っているとして、匿名の通報を受けた愛知県警から作品撤去を求められています。

彼は「日本の歴史を振り返ると、（同性愛は）特別なことではない。（全ての人が）絶対的異性愛者だという定義こそ、政治的イデオロギーではないか※23」と主張しており、同作品は、撮影の最後に被写体と一緒に写ることで「僕の肌を基準に一人ひとりの（肌の色の）違いをきちんと再現できるのでは」[※24]という視点から作品化されたものでした。

この事件は、アートの多様性のみならずアートにおける性的表現に対する意識が、明治時代の黒田清輝「腰巻事件」（滞欧中に学んだ西洋美術の普遍的な美「ヌード（裸体画）」を警察に咎められ、絵の下半分を布で覆い展示）から変化していないことを示しています。加えて、最近のTVCMが少数視聴者の解釈によるクレームから、放送中止・自粛・差し替えに追い込まれる「歪んだ民主主義」構造と非常に似ている点が挙げられます。

警察の指導を受けたアーティストは、性器を隠すために写真作品に布を掛けることを決

図33
鷹野隆大《おれと with KJ#2（2007）》
展示変更後の会場風景（「これからの写真」展、愛知県美術館、2014年）
Courtesy of Yumiko Chiba Associates

断します。しかし、それは「額の両側にピンを打って幾分波打たせつつ布をかけた。そのため、写真イメージの真上に布がかかっており、一種の一体感が生じている。写真を収めた額が布で梱包されているのではなく、まさに男性二人がシーツ状の布にくるまっているように見えるのだ」のように、いわば新たなインスタレーション作品に生まれ変わったようにも見えたのです。【図33】

「通報および警察による規制が起きた背景に、セクシュアル・マイノリティに対する偏見があったと指摘する論考がある。その論考内でも触れられているとおり、もしもそうした偏見が本件の発端にあったとすれば、布の追加は県警の指導に表向き従いつつ逆の効果をもたらしたと言えよう。（中略）そこからは、偏見や排除に対する不安感以上に、セクシュアル・マイノリティに対する伸びやかで肯定的な意思を感じ取ることも可能である。つまり、展示変更後、本作は性の多様なあり方を言祝ぐ朗らかでエロティックな作品と化したのである」と展覧会の担当学芸員が述べているように、抗議や警察の指導に対し、結果的に全く逆の効果を生んだと考えることも可能でした。[※25]

こうした状況に対し、ここ数年少しずつではありますが変化も起きています。森美術館が3年に1度開催する日本のアート・シーンを総覧する定点観測的な展覧会「六本木クロッシング2016」に出品された長谷川愛の作品《（不）可能な子供01：朝子とモリガの場合》【図34】は、

iPS細胞の研究により、同性カップル間に誕生するかもしれない、二人の遺伝子を受け継ぐ実子をテーマにしています。

カップル二人の遺伝子を分析し、生まれてくる子供たちを視覚化すると共に、科学者や法学者、セクシャル・マイノリティ当事者の意見も展示。そうすることで、科学の発達とそれに伴う倫理感、更には多様化する家族の形態について、私たちに再考を促すトリガーになっていました。

5-5　多様性が有する大いなる可能性

2019年METガラの共同ホストとして、GUCCIのクリエイティブ・ディ

図34
長谷川愛《(不)可能な子供01: 朝子とモリガの場合》 2015年　© Ai Hasegawa

レクターであるアレッサンドロ・ミケーレ（Alessandro Michele, 1972年〜）は、同ブランドのイメージ・キャラクターを務めるハリー・スタイルズ[※26]を伴って、レッド・カーペットに登場しました。スタイルズの装いは、首元にボリュームのあるリボンに加え、袖口や胸元にはレースをあしらったシースルーの黒いブラウスに、同色のハイウェスト・パンツを合わせ、更に左耳のみティアドロップ型の大粒パールをつけた「ジェンダーレス・ルック」でした。元々バイセクシャルの噂もあり、2018年にはブリティッシュLGBTアワーズのセレブリティ・アライ部門[※27]でノミネートされるほど、積極的にLGBTQコミュニティ支援を表明している彼らしいプレゼンテーションといえます。

かたやクィアなファッション・アイコンであるミケーレは、著作権や複製に関しても多様で寛容的な思想を有するクリエイターでもあります。長野及びソルトレイクシティ五輪にカナダ代表として出場したスノー・ボーダーのトレバー・アンドリュー（Trevor Andrew, 1979年〜）は非常に多才で、「グッチ・ゴースト」と呼ばれる「GG」のロゴを使用した幽霊のグラフィティをニューヨーク中に（無許可で）描いてきました。ところが、ミケーレは著作権侵害訴訟や停止通告をするどころか、正式なコラボレーターとして彼を招き、2016〜2017年秋冬コレクションを共に手掛けています。彼らのパロディとリアル、そしてストリートとハイ・ファッションとが融合した稀有なスタイルは、当時大きな話題を呼びました。

また、２０１７年クルーズ・コレクション（豪華客船で避寒に出かける富裕層のリゾート・ファッション。プレ・スプリング・コレクション）では、「GG」モノグラム・プリントの巨大なバルーン・スリーブの特徴的なボンバー・ジャケットが、伝説的なゲットー・クチュリエであるダッパー・ダン（Dapper Dan、１９６２年〜）のコピーではないかとSNSで糾弾され、世間を大いに騒がせました。ダンは、１９８０年代にGUCCIをはじめハイ・ブランドのブートレグ（海賊版：法律上の権利を無視し、権利保持者に無断で発売または流通される非合法商品）によって人気を博するも、著作権侵害を問われ１９９２年以来活動を休止していました。非難を受けたミケーレは、模倣を認めると共にダンへの敬意を表し、２０１８年秋冬コレクションで、彼とコラボレーションしています。更には、かつて彼のテーラーがあったハーレム１２５丁目に共同アトリエまで開設しているのです。※28

ブートレグをコピーした当のミケーレは、真作と贋作、オリジナルとコピーの関係が、もはや従来の常識では計り切れないことを感じ取ったのではないでしょうか。GUCCIの公式ステートメントには「メイド・イン・イタリアとメイド・イン・ハーレム、そして、１９８０年代と２０１８年の融合」と結ばれています。

こうした彼の多様性と協働・協作を重視する姿勢は、結果的に２０１７年度GUCCIの売上高を前年対比41・９％増の62億１１２０万ユーロ（約７９５０億円）へと押し上げます。そして、これは世界的なブランド企業を15社以上保有するKERING（ケリング）グループにおいて、全営業利益の実に73％を占めるという驚異的な数字です。ミケーレは、クリエイティブ・ディレクター交代後たった2年足らずで、こうした偉業を達成したことになります。[※29]

本章では、LGBTQを軸に多様性が有する大いなる可能性と、それらがアートに及ぼす影響について述べてきました。次章ではAI（人工知能）やバイオ・テクロノロジーといった最先端技術とアートの関係性について紐いていきたいと思います。

第5章　註釈

※1：パートナーシップ証明書：同性カップルが、婚姻に相当する関係であることを認める証明書。東京都渋谷区では、2015年3月に全国初の同性パートナーシップ条例（渋谷区男女平等及び多様性を尊重する社会を推進する条例）が成立、同年4月1日より施行されています。

※2：任意後見契約：任意後見受任者が、公正証書により本人との間で同契約を締結し、将来委任者が判断能力を失った際に、その財産管理等を行うことです。

※３：シビル・ユニオン：法律上の婚姻ではないが、一定の関係にある異性あるいは同性同士が、婚姻と同様あるいは類似する法的権利を認められている状態。

※４：「異性愛者を『ストレート』と呼ぶことは、その対比から同性愛者を歪んでいると解釈するため差別的である」という批判が散見されます。しかし、「ストレート」とは「同性愛者ではない」という意味で、同性愛者により使われはじめたという点で差別的用語ではありません。また初出は、下記の出版物となります（１９４１年）。
Jonathan Ned Katz『The Invention of Heterosexuality』Dutton Books
本書では異性愛者であり、生まれた時に割り当てられた生物学的な性と、性自認が一致する人を「ストレート」と表していきます。

※５：こうした調査結果や分析は数多く存在するため、一例として左記を挙げておきます。
阿佐見綾香「ＬＧＢＴとレインボー消費～多様化への対応が企業の競争力を決める～」日本マーケティング・リサーチ協会
http://www.jmra-net.or.jp/Portals/0/member/MR/mr128-2429.pdf
２０１９年6月3日閲覧

※６：レインボー消費：「ＬＧＢＴＱ当事者の消費」、「ＬＧＢＴＱを支持、応援する層の消費」と、「（パートナーシップ制度などにより）ＬＧＢＴＱが社会から受容されることにより生じる消費」を合わせたものです。多様性を表すＬＧＢＴＱシンボルの6色レインボーから名付けられました。
前掲「ＬＧＢＴとレインボー消費～多様化への対応が企業の競争力を決める～」を参考にしています。

※7："Please return in good condition to Gluck, no prefix, suffix or quotes." That' s what Hannah Gluckstein (the artist known as Gluck) wrote on the back of publicity prints of her paintings.
"Androgynous artist Gluck is born" Jewish Women's Archive
https://jwa.org/thisweek/aug/13/1895/androgynous-artist-gluck-is-born
２０１９年６月３日閲覧

※８：ブルームズベリー・グループ：ロンドン中心部のブルームズベリーを拠点に、１９０５年から第二次世界大戦期まで、存在し続けたイギリスの芸術家や学者から成るグループ。元々は画家であるヴァネッサ・ベルと、『ダロウェイ夫人』（１９２５年）や『灯台へ』（１９２７年）といった作品で知られる小説家のヴァージニア・ウルフ姉妹を含む４人のケンブリッジ大学生によって結成されました。メンバーには、経済学者ジョン・メイナード・ケインズ（John Maynard Keynes, １８８３～１９４６年）や、画家のロジャー・フライ（Roger Eliot Fry, １８６６～１９３４年）らが名を連ねました。

※９：『イギリスのクィア・アート１８６１-１９６７』展の展示作品については、左記を参考にしています。
Clare Barlow "Queer British Art：1867-1967" Tate

※10：カーヌムホテップとニアンカーカーヌム：紀元前２４００年頃のエジプト第５王朝のファラオであったニウセルラー王に仕えるネイリストでした。１９６４年に発見された二人が埋葬されている墓地には、「２人の男性は手をつなぎ、キスをして、隣同士に座っていた」と象形文字で記録されています。更には、彼らの肖像画は「肩や腕を取り合いながら、鼻先を触れ合わせる」という、古代エジプト美術における夫婦を象徴する描き方で表されています。ただし、二人を双子や兄弟とする説も存在します。

Laura Mills「Khnumhotep and Niankhkhnum & Occam's Razor」Making Queer History
２０１６年3月18日を参考にしています。
https://www.makingqueerhistory.com/articles/2016/12/20/khnumhotep-and-niankhkhnum-and-occams-razor
２０１９年6月3日閲覧

※11：『欲望、愛、アイデンティティLGBTQの歴史』展の展示作品については、左記を参考にしています。
R.B.Parkinson "A Little Gay History : Desire and Diversity Across the World" The British Museum Press

※12：チューリング・マシン：数学者、暗号解読者、コンピュータ科学者のアラン・チューリング（Alan Mathieson Turing, １９１２〜１９５４年）が発明した、計算機を数学的に議論するために単純化、理想化された仮想機械（計算模型）です。

※13：チューリング・テスト：アラン・チューリングによって考案された、機械が人工知能であるかどうかを判定するためのテスト。人間の判定者が、機械及び人間それぞれと、隔離された環境下で通常言語による会話を行っていきます。その際、言語の音声変換能力に左右されないよう、会話はキーボードやディスプレイといった文字情報のみの交信に限定されます。判定者が機械と人間の区別ができなかった場合には、その機械が知的＝人工知能であると認められます。

※14：ヒューマン・ライツ・キャンペーン財団：アメリカ最大の人権ＮＧＯ財団は、企業のＬＧＢＴＱに

対する平等化への施策状況を評価する「企業平等指数（Corporate Equality Index：CEI）」を毎年公表しています。このCEIは、LGBTQに対する職場の公平性を示すベンチマークとして2002年にスタートしたもので、「フォーチュン1000」と言われるアメリカ国内でビジネスを行う大手企業である1000社や、法律事務所200社を対象に、企業や法律事務所の取り組みを採点、スコアリングしています。こうした企業評価に対して真剣に取り組む企業や法律事務所は年々増えており、2018年には947社が回答していました。日経 BizGate「企業が関わるLGBTのソーシャルアクション」2018年6月5日
https://bizgate.nikkei.co.jp/article/DGXMZO3016606070520180000000?channel=DF2 2032018 3607&page=2
2019年6月3日閲覧

※15：映画『ベニスに死す（Death in Venice）』：1971年イタリア・フランス合作映画。ルキノ・ヴィスコンティ監督作品。静養のためベニスを訪れた老作曲家アッシェンバッハは、偶然見掛けたポーランド貴族の美少年タジオに理想の美を見出す。以来、彼はタジオを求め彷徨ううちに流行りの疫病に罹患し、遂にはタジオの姿を眺めながら、その命を閉じてしまいます。

※16：ツェン・イーシンとのメール・インタビュー（2019年6月19日～27日）によります。

※17：『光・合作用ーアジアのLGBTQ問題とアートの現在』展の展示作品については、左記を参考にしています。
台北當代藝術館編『光・合作用 Spectrosynthesis 1.2』台北當代藝術館・驕陽基金會

※18：プライド・パレード：性的少数者のパレード及び関連諸イベントを指すものとして、広く国際的に認知されています。現在では世界各地で開催されていますが、その切っ掛けは、１９６９年６月28日にニューヨークで起こった「ストーンウォール事件」でした。事件直前の22日に亡くなったゲイ・アイコンとして名高い女優ジュディ・ガーランド（Judy Garland, １９２２〜１９６９年）追悼のために、グリニッジ・ヴィレッジ地区のゲイバー「ストーンウォール・イン」には多くの人々が集まっていました。深夜、警察による手入れに対して、激しく抵抗、暴動と化した同事件は、その後ゲイ解放運動や性的少数者の人権擁護運動へ発展する起点として、その名を歴史に留めることになりました。現在「レインボー・フラッグ」がＬＧＢＴＱの象徴として用いられているのは、彼女が映画『オズの魔法使』（１９３９年）で歌った「虹の彼方に」に因んでいます。

※19：パトリック・サンとのメール・インタビュー（２０１９年６月25日〜29日）によります。

※20：台新藝術奬（台新アート・アワード）：台新国際商業銀行が設立した台新銀行文化藝術基金會により、２００２年以来、台湾で活動する芸術家を対象に授与されるアワード。台北市に本店を置く同行は、総資産が約５兆４０００億円（台湾で12位）、預金残高でも約３兆７０００億円を有しています。

※21：チュウ・グヴァン・ジェ（邱剛健、１９４０〜２０１３年）：台湾及び香港で名の知られた映画監督であり脚本家。中国語映画のアカデミー賞といわれる台湾の「金馬奨（ゴールデンホース・アワード）」や香港の「金像奨（香港フィルム・アワード）」などで最優秀脚本賞を幾度も受賞しています。香港に拠点を移すまでは、台湾で前衛的なアーティストとして活躍していました。また、１９６５年には雑誌『劇場』を創刊し、西洋の近代劇場や映画理論を大量に翻訳・紹介し、台湾の現代映像文化

に大きな影響を与えています。
TAIWAN TODAY「故・邱剛健氏の処女作『疏離』、53年ぶり上映」２０１９年２月21日を参考にしています。
https://jp.taiwantoday.tw/news.php?unit=148,149,150,151,152&post=150282
２０１９年６月３日閲覧

※22：パトリシア・モリズロー著『メイプルソープ』田中樹里訳　新潮社、レコード・コレクターズ編集部編『レコード・コレクターズ増刊 アメリカン・ロック Vol.3』ミュージック・マガジンを参考にし、また、一部引用しています。

※23：京都新聞ニュース「性的マイノリティーとアート考える 京都で社会学者ら講座」２０１８年８月26日を参考にし、また、一部引用しています。
https://www.kyoto-np.co.jp/local/article/20180826000123/print
２０１９年６月３日閲覧

※24：「鷹野隆大《おれと》」NADiff GALLERY から、一部引用しました。
http://www.nadiff.com/news/takano_gallery.html
２０１９年６月３日閲覧

※25：中村史子「褥としての鷹野隆大《おれと with KJ#2（2007）》」愛知県美術館２０１４年度研究紀要21号を参考にし、また、一部引用しています。

https://www-art.aac.pref.aichi.jp/collection/pdf/2014/apmoabulletin2014p54-63.pdf
２０１９年6月3日閲覧

※26：ハリー・スタイルズ（Harry Edward Styles, １９９４年〜）：英国のシンガー、俳優であり、ボーイズグループ「ワン・ダイレクション」のメンバー。２０１７年5月に発売されたソロ・アルバム『Harry Styles』は、全英、全米、全豪チャートで第1位を獲得しています。俳優としては、クリストファー・ノーラン監督による戦争映画『ダンケルク』（２０１７年）でデビュー。

※27：ＬＧＢＴＱアライ（LGBTQ Ally）：ストレートであってもＬＧＢＴＱを理解し支援する人のことを指します。アライ（Ally）は、英語のアライアンス（Alliance：同盟、提携）を語源にしています。

※28：エドウィン・〝スタッツ〟・ヒューストン「グッチが伝説のハーレムの仕立て屋とタッグ―帰ってきたダッパー・ダン!」２０１８年5月27日　GQ FASHION
https://gqjapan.jp/fashion/news/20180527/return-of-the-dap
２０１９年6月3日閲覧

※29：「（特集グッチ）ついに売上1兆円超え宣言！　数字で見るGUCCIの劇的な成長」GOETHE
２０１８年8月6日を参考にし、また、一部引用しています。
https://goetheweb.jp/lifestyle/slug-n09ad20622ed6
２０１９年6月3日閲覧

第6章
驚異的スピードで進化するアート×AI、そしてバイオテクノロジーの現在

第6章　驚異的スピードで進化するアート×AI、そしてバイオテクノロジーの現在

6－1　技術革新がビジネスやアートに及ぼす大きな影響

AI（人工知能、以下AI）の著しい発達（図表9）により、コンピュータが開発者たる人類を超え、自ら改良・進化し、あらゆる分野において中心的な役割を担っていく状態いわゆる「シンギュラリティ（技術的特異点）[※1]」が、2045年には訪れるといわれています。果たして、私たちの未来は、ドラえもんとのび太のように機械と人類が共存共栄する「ユートピア」なのでしょうか？　それとも映画『ターミネーター』のような、機械に支配される「ディストピア」なのでしょうか？　この問題については、専門家の間でも議論が分かれています。

数年前からメディアでは「10年後になくなる職業」のリストが、世間の耳目を集めていますが、IBMが開発した「ワトソン[※2]」は、既にメガバンクをはじめ日本を代表する企業のコール・センター等に導入され、その効果を発揮しつつあると聞きます。[※3]このような技術革新の波は、ビジネスは勿論のこと、アートの世界にも大きな影響を及ぼしています。

ここ数年、日本的思考や価値観と最先端技術を融合した、チームラボやライゾマティクスといった「最先端テクノロジー・アート創造企業」が、世界中で注目を集めています。彼らは「芸術作品とは、個人であるアーティストによる創造の産物」「コマーシャル・アート（商業目的

の芸術）とファイン・アート（純粋芸術）は別物であり、前者は後者に劣る」、あるいは「エンターテインメント、広告、デザイン、そしてアートというカテゴリー（分類、ジャンル）」といった従来の常識やアート界の慣習を破り、独自の体制、規定、評価システム等によって、会社組織でアートを創作しています。※4

こうした企業の作品が如何に時代を先取りし優れたものであるか、２０１５年のミラノ万博・日本館を例にご説明しましょう。同万博は、２０１５年５月１日～１０月31日に「地球に食料を、生命にエネルギーを」をテーマに、およそ１４０にも上る国や国際機関が参加して開催されました。

日本館は、四季折々の農村風景やユネスコ無形文化遺産である和食に加え、「いただきます」

（図表９）AI技術開発の歴史

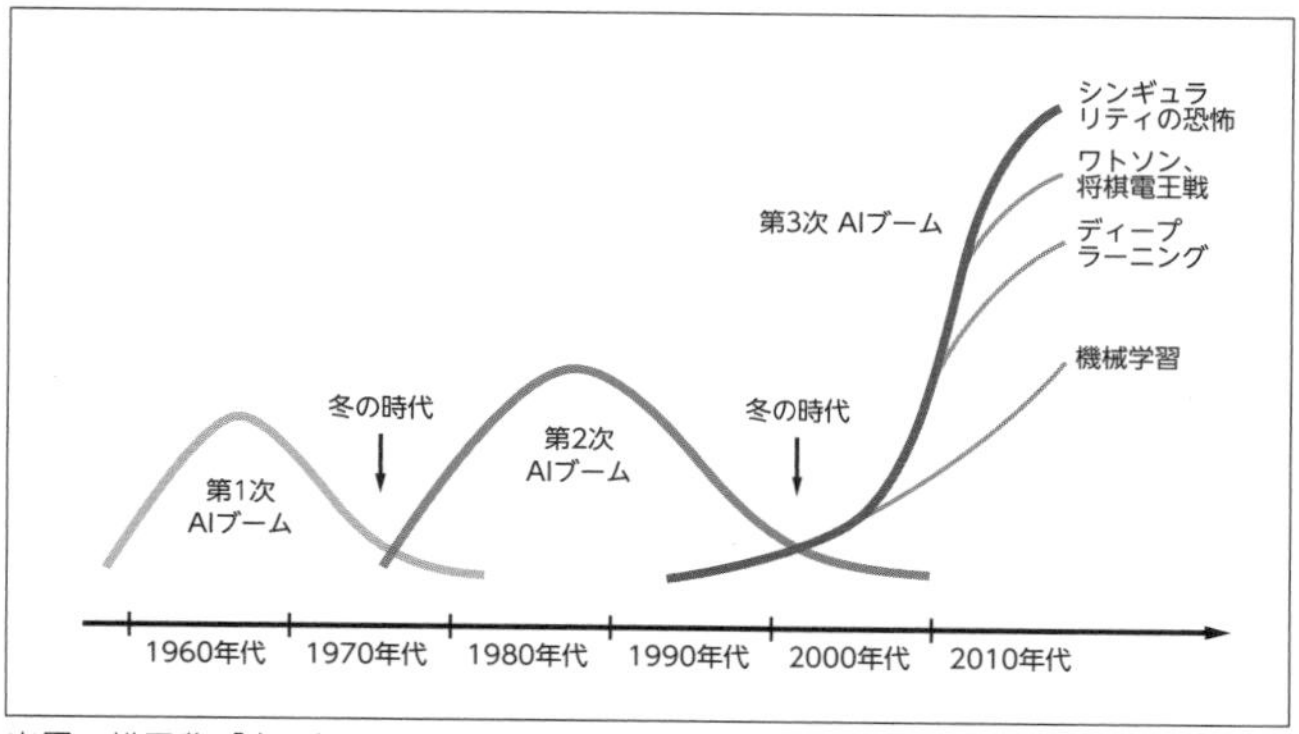

出展：松尾豊「人工知能は人間を超えるか　ディープラーニングの先にあるもの」（KADOKAWA/中経出版2015年）61ページ

そして「もったいない」という日本独自の食に対する感謝の精神などについて紹介していました。同館は全展示館の中で最も人気が高く、最長で10時間待ちの日もあったといわれています。結果的に全入場者のおよそ1割にあたる約228万人が訪れ、優れたパビリオンに贈られる展示デザイン部門の金賞を受賞しました。

では、なぜこれほどまでに、日本館の人気が高かったのでしょうか？　勿論、和食というグローバルなキラー・コンテンツの存在は、非常に大きかったと思います。しかし、日本人のアイデンティティともいうべき伝統的な食文化も、従来型の展示・PR方法であったなら、ここまで高い支持を得ることはなかったでしょう。

その謎を解く鍵は、大胆な「クリエイターの登用」と「最先端デジタル技術による双方向体験型」の展示にありました。「EXHIBITOR Magazine's Expo 2015 Awards」において、「BEST PRESENTATION賞」を受賞した、前述のチームラボによる《HARMONY, Japan Pavilion, Expo Milano 2015》（2015年）【図35】や、ライゾマティクスの《LIVE PERFORMANCE THEATER FUTURE RESTAURANT：未来のレストラン》（2015年）で展開されるパフォーマンスは、いずれも高い創造性と先端技術を応用した、全く新しい視覚・身体的な体験によって、世界中から訪れた多くの来館者を大いに驚かせたのです。

更には来場者が、SNS上に「日本館が一番美しかった」と投稿したため、その人気にますます拍車がかかったものと思われます。最近では「インスタ映え」に代表されるような、ネットによるバズ・コミュニケーション（いわゆる口コミ）が、新たな情報認知媒体として、マーケティング上の大きな役割を担っています。日本館の展示内容や手法が、こうしたメディアと極めて親和性が高かった点も、情報拡散や来場促進に大きな役割を果たしていたと推測できます。

それからおよそ1年後、2016年8月21日に開催された、リオデジャネイロ・オリンピック閉会式のフラッグ・ハンド・オーバー・セレモニー（オリンピック旗・パラリンピック旗引き継

図35
teamLab《HARMONY, Japan Pavilion, Expo Milano 2015》
Interactive Digital Installation, 6 min, Sound : Hideaki Takahashi
©teamLab

ぎ式）では、安倍晋三首相がマリオ（任天堂「スーパーマリオブラザーズ」）に扮するという前代未聞のサプライズで会場を大いに沸かせました。

同式典では、クリエイティブ・スーパーバイザーを務めたシンガー・ソング・ライターの椎名林檎を中心に、彼女と共に中田ヤスタカが音楽を担当。また、Perfume や BABYMETAL などの振付で知られる MIKIKO が総合演出や演舞の振付を担当していました。加えて、ライゾマティクスの真鍋大度はＡＲ（拡張現実）[※5]機能を用いて、東京大会から公式種目に採用される33競技をスタジアムに浮かび上がらせ、観客の度肝を抜いていたのです。ゲームやアニメのキャラクター、そして先端技術を利用したアートに加え、日本のポップ・カルチャーを代表するメンバーが、演出の重要部分を担ったセレモニーは、従来の日本的伝統文化に根差したステレオ・タイプから脱し、多くの感動と共感をもって世界に迎えられました。

ロンドン・オリンピック（２０１２年）は、女王陛下をエスコートする００7やビートルズ（正確にはポール・マッカートニーによる「ヘイ・ジュード」）、そしてハリー・ポッターといった英国を代表するスターたちが、開会式で同国の独自性を強調し、その印象を強く忘れがたいものにしていました。２０２０年の東京オリンピック・パラリンピックこそ、独自のクリエイティビティと先端技術力で、世界中から日本を訪れる人々に対し、我が国固有の魅力を伝える好機ではないでしょうか。

6－2　メディア・アート－その特徴と問題点

「メディア・アート」という言葉は、現在では広く認識、使用されていますが、その定義は諸説あり明確ではありません。一言でいえば「新しい技術を利用して、創作されたアート作品」を指すことになりますが、国際的には「ニュー・メディア・アート」と呼ばれることも多いため、ある種の和製英語的なワードであることは否めません。その特徴は「技術の進化に伴った多種・多様な表現が可能であること」に加え、「ゲームや広告、アプリ等の幅広いメディアを利用している」という2点に集約されます。

前者はインタラクティブ（作品と観客間の双方向性）やＡＲ（拡張現実）、ＶＲ（仮想現実）[※6]といった技術を応用した作品であり、後者については、きゃりーぱみゅぱみゅを起用した電気通信事業者・ａｕのＣＭであるau 4G LTE『FULL CONTROL TOKYO/Real』篇（２０１３年）や、プレイステーション向けＶＲ対応ゲーム『Rez Infinite』（２０１６年）【図36】を、その代表例として挙げることができます。

ライゾマティクスによるａｕのＣＭは、当時の新しい移動通信規格４Ｇ ＬＴＥ[※7]を利用して、あらゆるものをインターネットに接続。相互通信によって、遠隔操作や自動認識などを可能にするＩｏＴ（Internet of Things）をフィジカルに訴求した内容でした。

一方『Rez Infinite』は、音楽と映像そしてゲームプレイが完全にシンクロすることにより、あたかも〝音を見て、色を聞く〟ような「シナスタジア（共感覚）」効果が生まれます。プレイヤーに対し、まるでゲームの世界と一体化したような感覚を与えると共に、シンギュラリティが決して「ディストピア」ではないことを想起させる、未来志向のストーリーが大きな特色といえます。

このようにメディア・アートは、従来と異なりギャラリーや美術館で鑑賞する作品ばかりではなく、CMやゲームを発表媒体にしていることが少なくありません。従って、出演アーティストやタレントとの契約上、たった1クール（広告、マスメディアの場合は概ね3ヶ月）でテレビ画面はおろか、

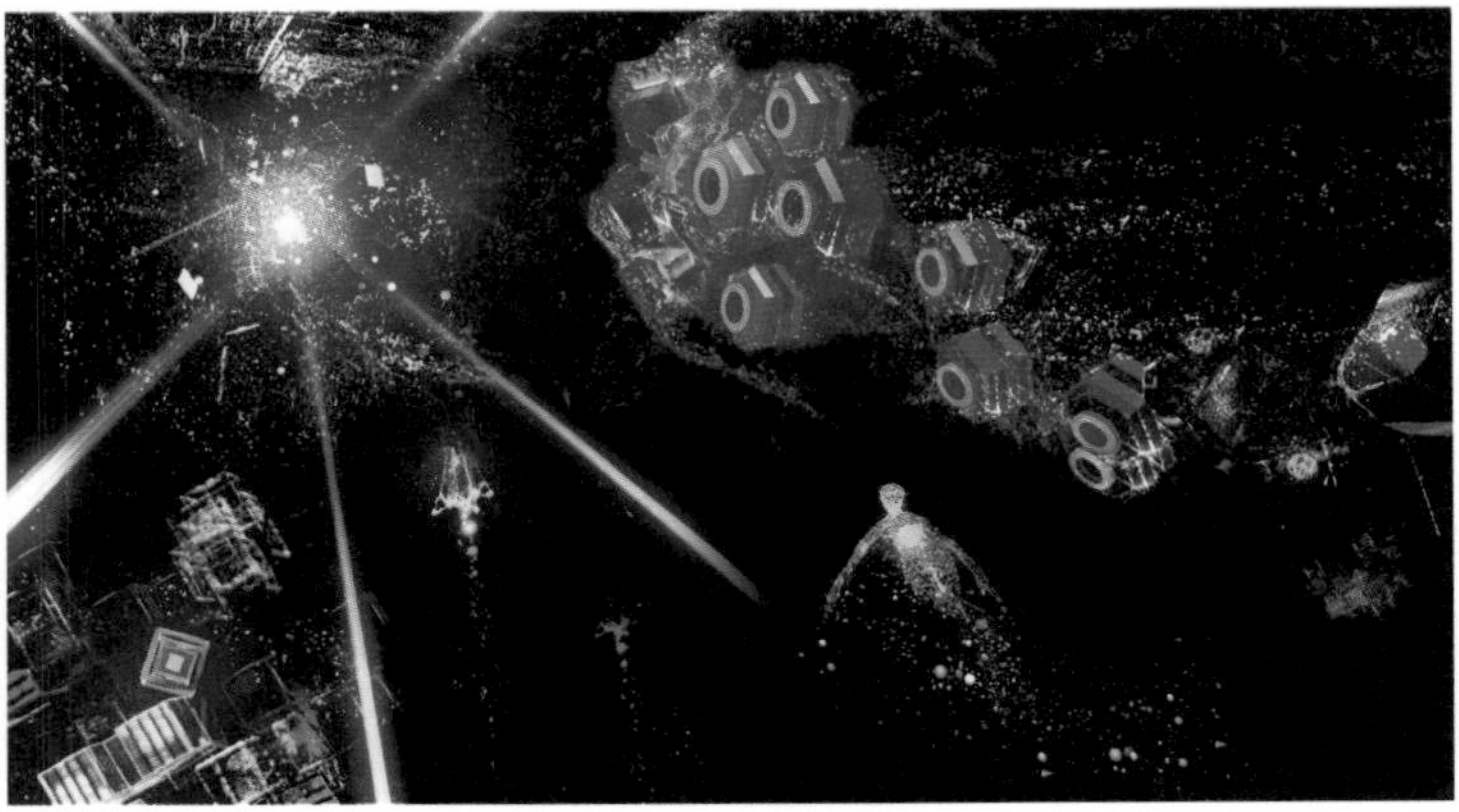

図36
『Rez Infinite』2016年　©ENHANCE
DEVELOPED BY MONSTARS AND RESONAIR ORIGINAL GAME
©2001 SEGA

企業の公式Ｗｅｂサイトから消えてしまう作品すらあります。

現在、大英博物館やボストン美術館をはじめ、世界のメジャー・ミュージアムにコレクションされている浮世絵も、制作された当初は役者のブロマイドであり、チラシやポスターと同様の役割を担っていました。こうした優れた広告表現やエンターテインメントを、肖像権をクリアにし閲覧可能な状態で後世に遺さなければ、将来、日本美術史に空白の時代を作ってしまうことにもなりかねません。

６－３　ＡＩによる表現生成・デザイン分野の現状

冒頭でご紹介したように、ここ数年、日本でも「シンギュラリティ＝２０４５年問題」が大きくクローズ・アップされています。既に「Siri」や「Google Assistant」でお馴染みのＡＩエージェント・サービスも、ユーザー人ひとりに最適内容をＡＩ側から話し掛けてくれるＮＴＴドコモによる「my daiz（マイデイズ）」が登場するなど、これまでＡＩにとって不得意な領域であると考えられていた、ホスピタリティ≒潜在的問題解決能力についても徐々に克服されつつあります。

最近では、表現生成・デザイン分野においてもホームページ無料作成サービス「Wix.com」が、「ＡＤＩ（人工デザイン知能＝Artificial Design Intelligence)」と呼ばれるＡＩを使用することにより、誰でも簡単にホームページ作成できるサービスを発表。また「PageCloud」が提供するサービスは、様々な質問に答えるだけで、SEO（検索エンジン最適化）に対し蓋然性の高いホームページをデザインすることを可能にしています。

更に、「Logojoy」や「Traitor Brands」といったロゴ作成サービスでは、候補デザイン例の中からユーザが好みのテイストを選んでいくことによって、たった数分間でロゴ・デザインを完成することができるのです。ちなみに「Logojoy」は、475種類のフォントや55万件以上のシンボル、5500パターンのカラー・プリセット（補正の調整値保存）と6つのレイアウトを組み合わせることで、利用者の好みに沿ったデザインを作成しているようです。

このように、デザインや広告表現の世界においても、いまや機械化は当たり前になりつつあり、人間の代わりに、驚くべきスピードとクオリティで業務提供するサービスが、既に数多く登場しています。

では、人間によるデザインとAIによるそれとでは、一体どのような違いがあるのでしょうか？　AIは機械学習のアプローチによって、表現生成やデザインを行っています。機械学習とは、データから反復的に学び、そこに潜む一定のパターンを見つけ出すことであり、学習した結果に新たな取得データを加えて最適解（値）を予測していきます。つまり従来、人手によるプログラミングによって実装されていたアルゴリズム（計算方法）を、大量のデータから自動的に構築する仕組みといえます。

肯定的・好意的な要素（パターン）の組み合わせによるデザインは、スピーディーでコスト効率に優れている一方、どうしても顧客やターゲット層の最大公約数的志向を反映したものとなりがちです。

その結果、既視感が伴うケースも珍しくないため、ある種のコモディティ化された表現といっても過言ではないでしょう。以上のことから、平均点が高い万人受けする内容とは異なり、ユニークで「独創的」な提案こそ、人間に求められる表現生成・デザインということができます。特に、現在普及しているコンピュータに比べ、およそ1億倍の計算能力を有する量子コンピュータ[※8]が実用化されれば、ビッグデータ解析により、デザインを含めたあらゆる表現行為は劇的に変化していくことが予想されています。そのような状況下では、データ過信から脱した、最適解を超える先鋭的表現のみが、類似デザインとの差異化を可能にしていくと考えられます。

更には、こうした表現を取り巻く環境の変化に伴って、デザインの定義自体も大きく変わっていかざるを得ません。一例として、ここ数年急速に広まっている新しいデザイン潮流である「スペキュラティブ・デザイン」[※9]を挙げておきたいと思います。それは、従来の〝使いやすさ〟や〝美しさ〟を追求する「課題解決型デザイン」とは異なり、未来の姿を思い描きながら、今ある世界とは別の可能性を提示する「課題提起型デザイン」を指しています。正解を探るのではなく、根本的な課題≒諸問題の発生源について再定義するというアプローチ方法は、ＡＩが不得手とする領域を横断しながら思考を巡らせていかざるを得ません。

加えて、もはや製品の開発から販売までがビジネスであると認識されていた時代は去り、ユーザ自らが、ものづくりに関わる立場にあることは明らかです。特にデジタル・ファブリケーション[※10]分野においては、ＡＩと協力し利用者からの声を採集・分析し、デザインに活かすＤＪ的な能力はますます重視されていくでしょう。

いずれにせよ今後は、ＡＩを中心とした技術革新によって、表現生成・デザイン業務における、人間と機械の役割分担が、より明確になっていくものと思われます。従って、従来の広告やゲーム、アニメ等のコンテンツ産業に加え、デバイスからの受発注を伴う広義のｅコマース産業が発展していくためにも、オリジナリティ溢れる「独創的なクリエイティビティ」が、非常に重要な存在となっていくことだけは間違いありません。

6-4　ＡＩが自ら創作するアート作品

２０１８年10月25日クリスティーズ・ニューヨークで、ＡＩが創作したペインティング作品《エドモンド・ベラミーの肖像》（２０１８年）【図37】が、予想落札価格の43倍となる43万２５００ドル（約４８００万円）で落札されました。

これまでもＡＩを取り入れた作品は、大型国際展やテクノロジーをテーマにした展覧会では、少しずつ見られるようになっていました。一例を挙げれば、「ヨコハマトリエンナーレ２０１７」（会期：２０１７年８月４日～11月５日）では、米国のイアン・チェン（Ian Cheng、１９８４年～）が、ＡＩを組み込んだ映像インスタレーション《使者は完全なる領域にて分岐する》（２０１５～２０１６年）を発表しています。

同作品は「自らプレイするコンピュータ・ゲーム」と呼ばれているように、気候変動や選挙結果予測に用いられる高度な予知システムを応用し、アーティストでさえ想像できなかった方向へと、ス

図 37
《エドモンド・ベラミーの肖像》
2018 年　インク
70.0 × 70.0cm

敵対的生成ネットワーク（GAN：Generative Adversarial Networks）を使用した作品制作プロセス
A year after the auction at Christie's, here is Obvious' new AI artwork
（音声：フランス語、英語字幕）　https://youtu.be/000BN5YmR2s
動画提供：Obvious

トーリーを展開させていきます。この果てなき物語（映像作品）の住人たちは、相互に干渉あるいは影響し合いながら、作品内の生態系を常に進化させています。

また、水戸芸術館の「ハロー・ワールド ポスト・ヒューマン時代に向けて」展（会期：2018年2月10日〜5月6日）のセシル・B・エヴァンス（Cecile B. Evans, 1983年〜）による《溢れだした》は、人間と機械の未知なる関係をテーマにした、ロボットによる完全自動パフォーマンス作品でした（作品発表時点では、アーティストが事前にプログラミングしています）。このように、美術作品における機械化も、数年前から既に散見されていました。

さて、パリを拠点に活動するアーティストと、AIリサーチャーによって結成されたオブヴィアス（Obvious）は、前述のエドモンド・ベラミーを含む11点の肖像画作品をAIで制作しています。

描画に用いられているのは、「生成モデル」と「識別モデル」が互いに競い合いながら成長していく「敵対的生成ネットワーク（GAN：Generative Adversarial Networks）」です。最初に14世紀から20世紀までの肖像画1万5000点のデータを読み込ませた上で、「生成モデル」が作品を描いていきます。その際「識別モデル」は、「生成モデル」の作品と、過去に人間が描いた作品群との差異を見分けるというプロセスを繰り返し実行します。最終的に差異が認識できなくなった時点で、作品は完成するといった仕組みです。※11

更にその半年後には、英国のオックスフォード大学 セント・ジョンズ・カレッジで、世界初の人型ロボット・アーティストであるアイーダ(Ai-Da)の個展「保証のない未来(Unsecured Futures)」（会期：２０１９年6月12日～30日）も開催されています。

こうした事例は、ある意味で歴史的な快挙といえますが、現在の技術革新スピードを考えれば、数年後には決して珍しいことではなくなっているはずです。

６-５　バイオとアートの出会いが生む、新たな可能性

ゲオアグ・トレメル、福原志保、吉岡裕記、フィリップ・ボーイングの四人からなるＢＣＬは、サイエンスとアートの領域を超えたアーティスティック・リサーチ・フレームワークとして、２００４年に結成されました（２０１９年現在は、ゲオアグ・トレメル、福原志保の二人で活動）。

彼らが、ｉＰＳ細胞[※12]から作り出した心筋細胞に、２次元キャラクター「初音ミク」の身体的特徴（例えば、髪や瞳の色）を記したＤＮＡデータを組み込み展示した、金沢21世紀美術館の「Ghost in the Cell：細胞の中の幽霊」展（会期：２０１５年9月19日～２０１６年3月21日）【図38】は、非常に大きな話題を呼びました。

展覧会タイトルから想起されるのは、士郎正宗（１９６１年～）原作の人気マンガ・アニメ

作品『GHOST IN THE SHELL／攻殻機動隊』でしょう。機械の身体に宿る「自我」や「意識」の問題を扱った同作のように、ＢＣＬが質しているのは「生命／非生命」と「リアル／バーチャル」における境界ではないでしょうか。※13

　福原自身は「遺伝子とはとても抽象的な存在で、物質ではあるのですが肉眼では見ることができず、その意味ではデジタルデータに近いものです。一方で初音ミクは、デジタルデータでできた存在であり、科学的には生命ではないにもかかわらず、生命〝的〟な存在としてファンの心を掴んでいますよね。それが彼女のすごいところ。今のところデジタルな存在は生命ではないとされていますが、初音ミクは未来における〝新しい生命〟を考えさせてくれるキャラクターなのではないかー

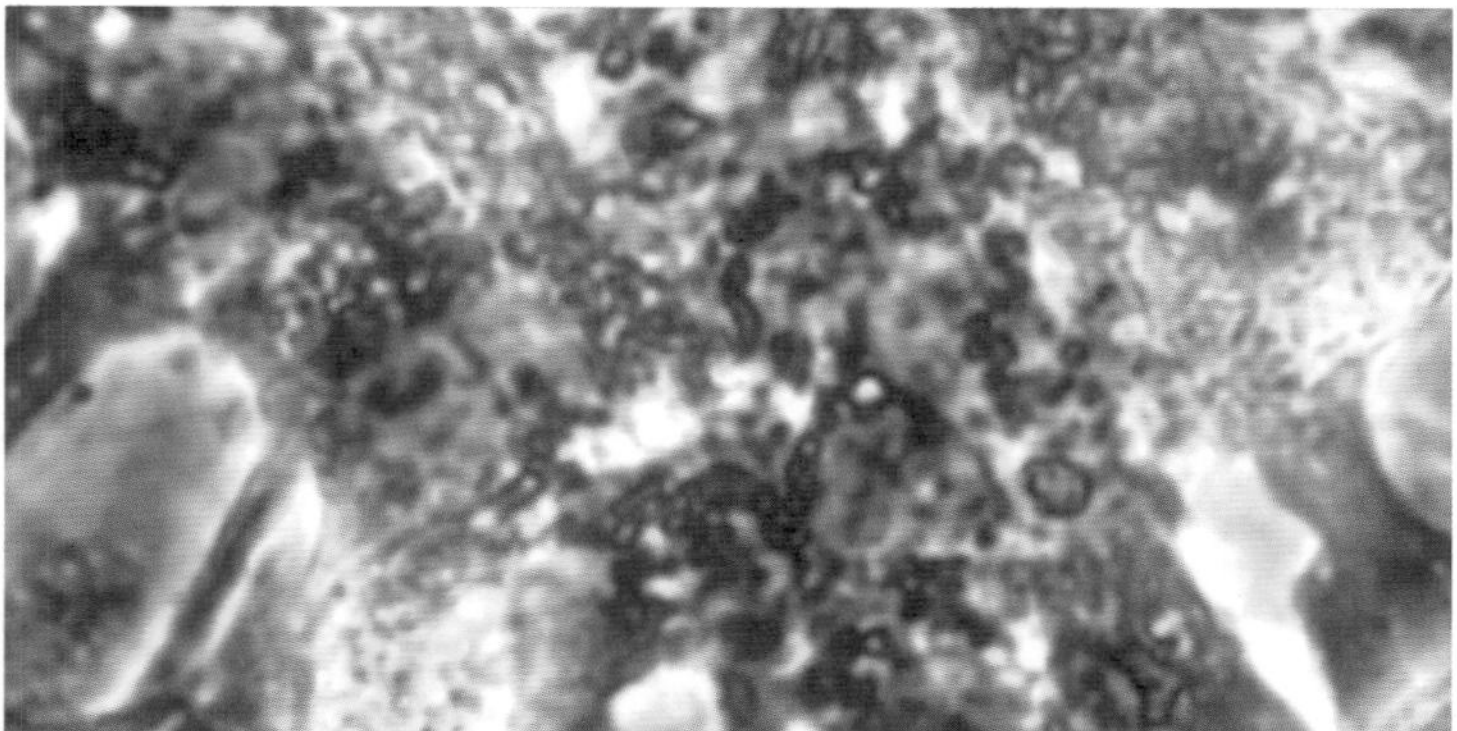

図 38
BCL《Ghost in the Cell/Heartbeat》2019 ©BCL
Video Loop of beating cardiomyocytes from Ghost in the Cell, 1 heartbeat / 7frames

そうした観点からつくった展示でした」と、語っています。[※14]

彼女が、ロイヤル・カレッジ・オブ・アート在学中に発表した《バイオプレゼンス》（2004年）は、亡くなった人の皮膚から採取したDNAを、樹木の細胞に保存することによって「生きた墓標」とし、更に実際の制作・流通を実現する組織であるバイオプレゼンス社を設立するという壮大なプロジェクトでした。

抽出した人間のDNAを、（樹木の）「冗長な核酸トリプレット[※15]下に記録することで、DNAは実際に発現することなく、余分な情報として樹木の中で生き続けていきます。つまり、変異性の利用によって、遺伝子本来の機能に影響を与えることなく、任意のデータ書き込みを可能にしたといえます。[※16]

人間は様々な方法によって、自分が愛した者に関する記憶を残そうとしてきました。記憶はやがて薄れてしまうことを知っているからこそ、故人が生きた証を何らかの形で残そうとしてきたのでしょう。それは肖像画から写真、そして動画へと移り変わり、いまやSNSの中にその姿を留めるケースですら散見されます。しかし、《バイオプレゼンス》は、発表当時の英国で激しい批判にさらされました。それは、翌年のNTTインターーコミュニケーション・センター（東京・初台）の展示に対して、およそ8割の来場者が好意的であったことに比べ極めて対照的でした。

英国と日本における反応の違いについて福原は、「日本では万物は生まれ変わって別のものになる考え方があるから、別に人間が木になってもいい。人間は自然の一部であるという考え方がありますよね。一方のイギリスでは、万物は神の創造物だし、人間は死んだらそれで終わりという発想[※17]」であると述べています。

以上のことから、体細胞クローン羊・ドリーへの批判や、遺伝子組み換え作物に対する安全性議論と同様、技術が人間の想像を超えて進化する時には、「文化」や「宗教」あるいは「倫理」の壁を如何に乗り越えるかが、非常に重要な課題であることを物語っています。

一方、寒川裕人を中心に2016年設立されたザ・ユージーン・スタジオが、山形県鶴岡市と共に取り組み続けている『農業革命3・0』は、スマート・アグリとバイオテクノロジーによって、従来の食料生産のみならず、様々な素材開発やインフラ創出を可能にするという農業の新たなポテンシャルを追求する試みです。

例えば、同プロジェクトにおけるバイオテクノロジー分野の中核を担うSpiber 株式会社（本社・鶴岡市）は、世界初の合成クモ糸繊維の量産化に成功しています。同繊維は鋼鉄の340倍もの強靭性、ナイロンを上回る伸縮性、更には耐熱性300度という特長を有しています。加えて、微生物発酵により生成されているため、生産に必要なエネルギーの大幅削減と非常に優れた製品リサイクル性を有しています。

こうした取り組みは、あらゆる製品の原材料や素材を、石油など化石由来の燃料から代置することで、社会に劇的な変化を生み出す大きな可能性を秘めています。つまり『農業革命3・0』とは、豊かな自然環境と、先端産業が無理なく両立する「新・農業都市」の具現化ということもできます。※18

彼らの試みはアートというより、コンサルティング・ファームが手掛けるビジネスのようにも見えます。しかし、「私たちが生きるこの世界を、どのように形成し、現実化するか。それは、進化するプロセスとしての彫刻である」と、唱えたヨーゼフ・ボイス（Joseph Beuys, 1921〜1986年）の思想を受け継ぎ、個人による取り組みの限界を打破すべく、組織によってアップ・デートされた21世紀版「社会彫刻※19」と考えるのが妥当ではないでしょうか。

6-6　「承認欲求」を求めるか、自らと向き合うか

これまでお話ししてきたように、先端技術の進化は私たちの社会に多大な影響を及ぼしています。そして、アートですらその例外ではないことを、おわかりいただけたものと思います。

スマホをはじめとするデジタル・デバイスやインスタグラムに代表されるＳＮＳの発達・普及により、「写真」は「かつて、そこで起こっていた」ことの記録から、「今、ここで起きている」ことの発信へと変わりつつあります。

それは、時間（時制）や記録に関する問題だけに留まりません。「印画紙に自らを刻印する

のは、自然界の秩序にほかならない。転写あるいは痕跡としての特質は、写真に記録としての地位、否定し難い真実性を付与する」[※20]というロザリンド・クラウス[※21]の主張ですら、その前提条件が現状とは乖離しています。

また、各種編集機能を有するスマホで「撮影・編集・保存」したものを、果たして「変位《ディスプレースメント》（切り取り、縮小、平面化）を含んでいるが、しかしこの移行は（コード化が必ずそうであるような）変形ではない。ここでは（真の記号体系に固有の）等価性は失われ、準《クワジ》＝同一性《アイデンティティ》が賦課されているのだ。言い換えれば、このメッセージの記号はもはや制度的条件から引き出されるのではない。それはコード化されていないのだ」[※22]と、言い切ることは可能でしょうか。

揺らいでいるのは、「写真」の定義だけに留まりません。私たちのコミュニケーション手段が、フェイス・トゥ・フェイスや電話から、ＳＮＳへと変化していくに従い、「コード化されていない出来事の現前」は、「不特定多数による承認装置」へと転換されつつあります。

誰でもが情報発信者＝メディアになり得ることは、「アラブの春」[※23]に代表される大きな社会変革を引き起こしました。しかし一方で「承認欲求」は目的化され、「リア充」[※24]を演じるといった本末転倒の事態を引き起こし、「既読」や「いいね！」などの反応は、時にいじめや差別の原因にもなっています。

こうした現状に異を唱えるのが、日本を拠点に活動するアーティスト・コレクティブMiND X

です。彼らの《Comfort ZONE（コンフォート・ゾーン）》（２０１８年）【図39】は、一脚の椅子以外は何も存在しないホワイト・キューブの中で鑑賞者の動作に反応。カラフルな「いいね！」が増減していく様を体験するインスタレーション作品です。

他者からの承認獲得により自らの欲求を満たすか、承認を拒否して自分自身と向き合うのか、その判断は私たちに委ねられています。現在利用中のＳＮＳを、一度に全て止めてしまうことは、もはや社会生活上極めて困難でしょう。同作品は、ほんのひと時でも、24時間365日の「承認欲求」ライフから解放され、「現実」と「仮想」あるいは「記録」と「記憶」について考えることの重要性を示唆しています。

図 39
MiND X《Comfort ZONE》
2018 年 ミックスド・メディア、サイズ可変 ©MiND X

次章では、今後の世界経済や社会システムに、最も大きなインパクトを与えると予想されている「ブロックチェーン」について論じていきたいと思います。

第6章　註釈

※1：「シンギュラリティ」についての詳細は、左記にまとめられています。
レイ・カーツワイル著、ＮＨＫ出版編『シンギュラリティは近い　人類が生命を超越するとき』ＮＨＫ出版

※2：ワトソン：ＩＢＭが開発した質問応答システム・意思決定支援システムであり、一般的にはＡＩと認識されるが、ＩＢＭでは、自然言語を理解・学習し人間の意思決定を支援する「コグニティブ・コンピューティング・システム」と定義しています。

※3：一例として、三井住友銀行の導入事例を挙げておきます。
濱田優「ワトソン導入の三井住友銀行『ＡＩは人間の能力拡張に欠かせないパートナー　導入の目的は人員削減ではない』ZUU online　２０１７年11月16日
https://zuuonline.com/archives/181448

２０１９年6月21日閲覧

※4：「最先端テクノロジー・アート創造企業」についての詳細は、拙著をご参照ください。
宮津大輔『アート×テクノロジーの時代　社会を変革するクリエイティブ・ビジネス』光文社

※5：ＡＲ（拡張現実）：Augmented Reality の略。スマホなどの画面上で、実在する風景にバーチャルの視覚情報を重ね合わせて表示することにより、目の前にある世界を拡張することです。

※6：ＶＲ（仮想現実）：Virtual Reality の略。コンピュータ上で現実のような仮想世界を作り出し、まるで、そこにいるかのような感覚を与えます。ヘッド・マウント・ディスプレイなどを使用することによって、周囲３６０度の仮想世界を体感することが可能。

※7：４Ｇ ＬＴＥ：「Ｇ」はGeneration（世代）の略で、３Ｇから４Ｇへと世代が進むにつれて、より高速、大容量となります。また「ＬＴＥ」はLong Term Evolution（長期的進化）の略で、３Ｇが４Ｇへ発展するまでの橋渡し的な規格であることを示しています。

※8：量子コンピュータ：従来の0と1によるバイナリコード（2進数で表したコード）と異なり、原子より小さな量子力学的な重ね合わせ（0と1だけでなく、0と1を任意に組み合わせた状態の値を同時に採用する）を用い並列性を実現することで、飛躍的な処理能力向上を可能にします。

※9：「スペキュラティブ・デザイン」についての詳細は、拙著の左記当該ページをご参照ください。

宮津大輔『アート×テクノロジーの時代　社会を変革するクリエイティブ・ビジネス』光文社　101～104ページ

※10：デジタル・ファブリケーション：デジタルデータを元に、3Dプリンタのようなコンピュータと接続されたデジタル工作機械によって、各種素材を切り出し、成形・制作する技術。

※11：左記を参考にしています。

「AI作の絵画、約4800万円で落札。予想価格約100万円の『エドモンド・ベラミーの肖像』」engadget 日本版　2018年10月26日

https://japanese.engadget.com/2018/10/26/ai-4800-100/

「AIが〝描いた〟作品、約4800万円で落札。予想落札価格の43倍」　美術手帖　2018年10月26日

https://bijutsutecho.com/magazine/news/market/18719

いずれも、2019年6月21日閲覧

※12：iPS細胞：細胞を培養して人工的に作られた多能性幹細胞で、再生医療実現に重要な役割を果たすことが期待されています。従来、再生医療向けに考えられていたES細胞（胚性幹細胞）に比べ、皮膚や血液など採取しやすい体細胞から作ることができる点に加え、（患者自身の細胞を使うため）拒絶反応が起こりにくい点で優れています。なお、2006年8月京都大学の山中伸弥教授らが世界で初めてiPS細胞の作製に成功、2012年にはノーベル医学・生理学賞を受賞しています。

※13：左記を参考にし、また、一部引用しています。
杉原環樹「金沢21世紀美術館〈Ghost in the Cell〉初音ミクにＤＮＡを与えたら―さまざまな境界の曖昧さを浮き彫りにする展覧会」 MIKIKI　２０１５年12月14日
http://mikiki.tokyo.jp/articles/-/9319

展覧会「ザ・コンテンポラリー３ Ghost in the Cell：細胞の中の幽霊」　金沢21世紀美術館
https://www.kanazawa21.jp/data_list.php?g=45&d=1726
いずれも、２０１９年６月21日閲覧

※14：WIRED Audi INNOVATION AWARD 2017 #5　福原志保「『バイオ』と『アート』をガッチャンと合体させる。だけではダメ」WIRED　２０１７年５月19日を参考にし、また、一部引用しています。
https://wired.jp/waia/2017/05_shiho-fukuhara/
２０１９年６月21日閲覧

※15：トリプレット：３個のヌクレオチド（ヌクレオシドの糖部分に燐酸が結合した化合物。核酸はこれが多数重合したポリヌクレオチド）の組です。核酸における３個の塩基の並び。遺伝暗号となり、１個のアミノ酸に対応します。
・ヌクレオシド：プリン塩基またはピリミジン塩基と糖が結合した化合物。アデノシン・グアノシン・ウリジンなどがあり、核酸の構成成分です。
・核酸：生物の細胞核中に多く含まれる、塩基・糖・燐酸からなる高分子物質です。糖がデオキシリボースであるデオキシリボ核酸（ＤＮＡ）と、リボースであるリボ核酸（ＲＮＡ）とに大別されます。

・ポリヌクレオチド：ヌクレオチドが直鎖状に重合した高分子化合物。天然には核酸があり、人工的に合成したものは核酸の基礎研究に用いられます。

※16：「故人のDNAを木に埋め込んで『生きた墓標』にする」WIRED　2005年11月8日を参考にしています。
https://wired.jp/2005/11/08/ 故人のdnaを含む「生きた墓標」に／2019年6月21日閲覧

※17：杉原環樹「賛否両論？　遺伝子を扱うアート集団BCLが初音ミクの細胞を展示」CINRA.NET　2015年10月9日から、一部を引用しています。
https://www.cinra.net/interview/201510-bcl
2019年6月21日閲覧

※18：ザ・ユージーン・スタジオと『農業革命3・0』についての詳細は、拙著の左記ページをご参照ください。
宮津大輔『アート×テクノロジーの時代　社会を変革するクリエイティブ・ビジネス』光文社
150〜170ページ

※19：「社会彫刻」とは、ドイツのアーティスト、ヨーゼフ・ボイスによって提唱されたもので、この世の誰もが創造性を有す芸術家であると捉え、私たちが、自ら主体的に社会を変えてゆくことこそが、芸術活動であると唱える考え方です。

※20：ロザリンド・クラウス『オリジナリティと反復―ロザリンド・クラウス美術評論集 オリジナリティと反復』小西信之訳　リブロ・ポート　171ページ

※21：ロザリンド・クラウス（Rosalind E. Krauss，1940年〜）：ポストモダニズムを代表する米国の美術評論家。1969年ハーバード大学にて博士号を取得。ハーバード時代の師クレメント・グリーンバーグ（Clement Greenberg，1909〜1994年、モダニズムを代表する米国の美術評論家）や、友人であったマイケル・フリード（Michael Fried，1939年〜、米国の美術評論家）らの影響を受けキャリアをスタートさせます。1976年には現在も続く美術批評誌『オクトーバー』をアネット・マイケルソンと共に創刊。彼女はチャールズ・サンダース・パース（Charles Sanders Peirce，1839〜1914年）の「類似（イコン）」、「象徴（シンボル）」、「指標（インデックス）」から成る記号論を援用し、絵画を「類似（イコン）」、写真を、ある原因の物理的な現れ（写真が感光剤、印画紙により自らを刻印することから）としての「指標（インデックス）」に分類しています。

※22：ロラン・バルト『映像の修辞学』蓮實重彥、杉本紀子訳 朝日出版社　18ページ

※23：アラブの春：2010年チュニジアで勃発した体制権力への異議申し立て運動（ジャスミン革命）に端を発し、その後リビア、エジプトなど広くアラブ世界に伝播した反独裁政権運動。フェイスブックやツイッターといったSNSが、運動の認知や参加に大きな役割を果たしていました。

※24：リア充：インターネット・スラングの一種で、現実の生活が充実している様子、またはそのような状態の人を指します。ヴァーチャル（仮想世界）に対して「リアル（現実世界）が充実している」の略。

第7章
ブロックチェーンが拓く、仮想通貨時代のアート

第7章　ブロックチェーンが拓く、仮想通貨時代のアート

7－1　ビットコインとは一体何か？

ここまでの各章では、アートと経済の密接にして不可分な関係について、様々な角度から考察してきました。ここ数年、金融サービスに次世代先端技術を応用した「フィンテック（FinTech）」が、メディアでは頻繁に取り上げられています。そして、フィンテックを支える代表的なテクノロジーとして、スマホ関連技術、AI、ビッグデータ解析と共に「ブロックチェーン（分散型台帳技術）」を挙げることができます。その中でも、これからの世界経済や社会システムに、最も大きなインパクトを与えるといわれている「ブロックチェーン」について、本章では、その技術に関しても、少し詳しく論じていきたいと考えています。

「ブロックチェーン（Blockchain）」は、「ビットコイン（Bitcoin）」を支えるコア技術です。わかったような、わからないような感じですが、「ブロックチェーン」と「ビットコイン」、そして「電子マネー」や「スマート・コントラクト（Smart Contract）」は、混同しやすいのですが全て別物です。少し長くなりますが、それらが何を指し、何を意味しているのかを解説していきたいと思います。まずは、ビットコインを含めた「仮想通貨」について説明していきましょう。

ビットコインとは、一体何でしょうか？　一言で表現するなら、仮想通貨の一種といえます。「仮想」と付いていることからも明らかですが、通常の通貨と異なり目に見える姿・形は存在していません。しかし､日本円や米ドル同様に通貨単位はあり､それはＢＴＣ(ビーティーシー）と表記されます。

さて、仮想通貨について、私たちにとって最も身近な存在であるオンライン・ゲーム専用通貨を例に話を進めます。それらはゲームの中でのみ流通し、様々なアイテム購入などに用いられています。こうした通貨は企業ごとに策定され、利用者を囲い込むことで、仮想通貨の発行・運用主体＝ゲーム運営会社による利潤追求を目的としています。

一方ビットコインは、各国中央銀行が発行している日本円や米ドル同様に、円滑な経済活動の推進を目指しているのです。そこが、従来の仮想通貨と大きく異なる点といえます。

ちなみに「電子マネー」とは、実際の紙幣や硬貨を使用することなく、電子的な（データのやり取りによる）決済手段を指しています。私たちが公共交通機関や自販機などで利用しているSuica（ＪＲ東日本）やPASMO（鉄道・バス30事業者）といった、交通系ＩＣ（集積回路[※1]）カードによる決済処理をその代表例として挙げることができます。更に、前者には「モバイルSuica」と呼ばれる､電子マネー機能アプリも存在しています。アンドロイド携帯やフィーチャーフォンでは「おサイフケータイ」として、iPhoneではApple Pay（アップルペイ）としての利用が可能です。ただし、利用端末やカードへのプリペイド及び、決済銀行口座に対する事前入金が必要であるため、これらを仮想通貨と呼ぶことはできません。

では、ビットコインと一般的な仮想通貨との相違点を具体的に探ることで、その実像と将来性に迫っていきたいと思います。

7-2　ビットコインの優位性

ビットコインは、以下に記す3つの優位性を有しています。

（1）個人間での直接取引が可能

一般的な通貨で送金する場合には、銀行など金融機関を仲介する必要があります。しかし、ビットコインは、個人間で直接取引＝支払いを行うことが可能です。

（2）手数料が無料もしくは非常に廉価

直接取引により仲介機関が存在しないため、基本的に手数料を支払う必要がありません（但し、送金時にはマイナーへの手数料は発生します）。銀行送金にもクレジットカード支払いにも、一定の手数料が存在していることを考えると、既成概念を覆す決済方法であるといえるでしょう。今後は、少額取引や廉価な商品の売買が、よりスムーズ且つスピーディーに行われるものと期待されています。

(3) 様々な手続きや利用に伴う制限がない

仲介機関を経由しないため、煩わしい手続きや制限が存在しません。従って、通貨の移動・流通を自由に行うことが可能です。また、外貨両替の必要がないため、世界中どこでも同じ通貨を利用できるというメリットも有しています。

ビットコインが、通常の既存通貨や他の仮想通貨と異なり、利便性やコスト効率に優れていることを、前述の優位性からご理解いただけたものと思います。

ちなみにビットコインには､ウォレット（財布）という概念があります。通常通貨における、銀行口座に相当するものと考えればわかりやすいと思います。ビットコインを利用するには自分のウォレットを保有し、そこにビットコインを保管すると共に、そこから決済していくことになります。

利用者ごとに割り振られるウォレットＩＤは、長い文字列で構成されています。そこで、一般的にはＩＤを短縮したコードや、スマホで読み取りが可能なＱＲコードに変換して利用します。

7-3　ブロックチェーンとは一体何か？

ブロックチェーンが、ビットコインを支えるコア技術であることは、本章の冒頭で説明しました。では、具体的には、どのような仕組みなのでしょうか。

仮想通貨送金時の取引履歴データを「トランザクション（Transaction）」と呼び、一定数のトランザクションを格納したものを「ブロック（Block）」といいます。銀行の業務に例えれば、ある支店における一日の取引台帳をイメージすると、多少は身近に感じられるかもしれません。

新たに生成されたブロックや、それに続くブロックに、取引が取り込まれることを「承認（Confirmation）」と呼び、ブロックが次々と追加され、まるで鎖（チェーン）のように連なることで「ブロックチェーン（分散型台帳技術）」になるのです。

ビットコインは、一定期間ごとに、全ての取引履歴を台帳に追記していきます。その追記処理は、ネットワーク上に分散保存されている取引台帳データと、追記の対象期間中に発生した新たな取引データの整合性を取りながら、正確に記録されなければなりません。

追記処理＝ブロックの生成には、コンピュータを使用した膨大な計算が必要となります。それは有志のコンピュータ・リソースによって行われていますが、その代わり報酬として、新規発行されたビットコインを得ることができるのです。このような通貨発行に至る諸作業を、「マイニング（Mining）／採掘」と呼んでいます。

なお、ビットコインの発行総量は、２１４０年までに最大で２１００万ＢＴＣと決められているため、それ以降新たに発行されることはありません。また、マイニングによる新規発行量も計画的に調整されているため、短期間の発行量急増による、インフレ発生などのリスクも存在しないのです。

では、このブロックチェーンは、どのような点において優れているのでしょうか？

７-４　ブロックチェーンの優位性

ブロックチェーンは、以下に記す３つの優位性を有しています。

（１）特定組織の中央管理を不要とする、民主的な「分散型ネットワーク」

ブロックチェーンを利用した仮想通貨の多くは、各国中央銀行による自国通貨の中央集権的な管理と異なり、分散化されたノード※2でデータ保管が行われています。複数ノード間のＰ２Ｐ通信※3によって、利用者全員で記録データを管理しているといえます。（図表10）

（２）取引情報の公開・可視化による安全性

ブロックチェーンでは、取引を記録する際にデータがネットワーク上で公開されます。参加者全員が取引記録の正当性を検証し、合意することによって有効化されるため、二重払いや通貨偽造などの不正記録を排除することが容易になります。

また、送金など二者間取引については「公開鍵」と「秘密鍵」[※4]によって、セキュリティが担保されています。

(3) 強固な耐改竄性

ブロックチェーン状に連なっているため、過去の記録を変更するには、以降のハッシュ値を全て変えなければならないためほぼ不可能といえます（取引記録の「不可逆性」担保）。更に、一部ノードがサイバー攻撃を受けデータが破壊されても、他のノードに同一データが保存されているため、

(図表 10)

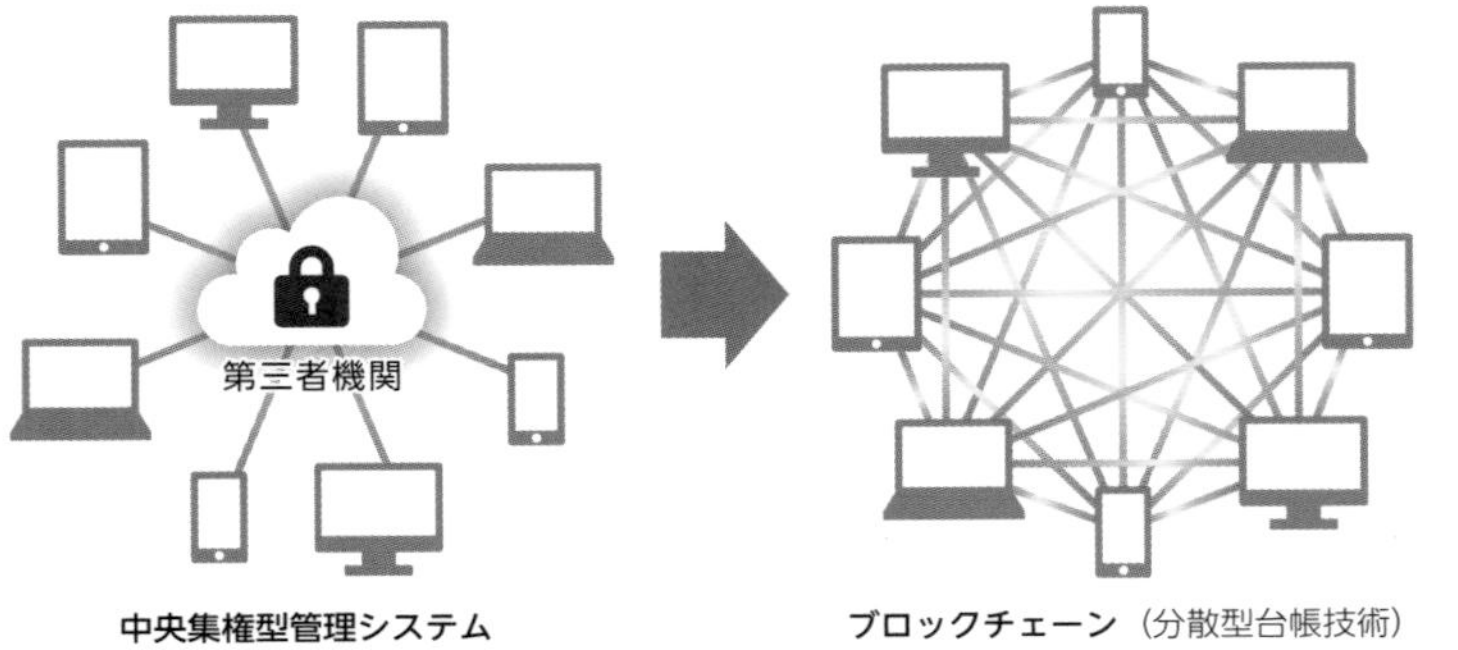

復旧は比較的容易といえます。全ノードを、同時に破壊しない限りサービスの停止は不可能であると考えられています（実質的なゼロダウンタイム：サーバダウンの可能性がゼロの状態）。

そもそも、取引情報追記のインセンティブとして、新規通貨が発行・付与されるわけですから、ネットワーク参加者はビットコインの価値が下落するようなことは絶対に行わないはずです。つまり、参加モチベーションこそが、ブロックチェーン最大の改竄抑止力になっているといえます。

7-5　ブロックチェーンのビジネスや社会システムへの応用

ここまでは仮想通貨の一種である「ビットコイン」と、それを支えるコア技術である「ブロックチェーン」について説明してきました。ここからは、アートを扱ったビジネスや社会的事業において、それらが如何に応用され、その将来を嘱望されているか、技術的特徴に則り述べていきたいと思います。

（1）記録の証明機能

暗号化されたデータは不可逆性があるため、特定することができません。意図的に改竄すれば、分散したデータとの整合性が取れなくなるため、たちどころに不正が明らかになります。従って、不動産をはじめとする各種契約書や保険証書など記録の証明機能として、ブロックチェーンを利用した多数の実証実験が既に行われています。

アートの世界では、画面など作品上（あるいは裏など）にアーティストがサインできない場合には、作品証明書（Certificate）[※5]や、故人の場合には作品鑑定書[※6]によって、真作であることが公に証明されます。

ブロックチェーンを用いれば、作品証明書や作品鑑定書の作成と、所蔵者の変更に伴う権利や証明書の移転もスムーズ且つ簡便に行えます。加えて、作品価値に直結する来歴（Provenance）や展覧会出品歴の管理並びに閲覧・情報共有にも大きく貢献するものと考えられます。

(2) フィンテック推進と取引処理コストの削減

公開範囲を限定したコンソーシアム型ブロックチェーンでは、銀行など金融機関のインフラにおける、送金及び決済サービス等に付随するコスト削減に対して注目が集まっています。

元々割高な手数料から、クレジットカードが利用できないギャラリーは少なくありませんでした。海外のギャラリーやアート・フェアにおける作品購入でも、支払いが決済・送金手段の関係から帰国後となることが多く、ハンド・キャリー可能な作品に別途送料が発生するケースも珍しくありません。最近ではPayPal（ペイパル）のような、インターネットを利用したオンライン決済システムの普及に伴い、少しずつではありますが、従来に比べ支払いの利便性は高まってきています。

ブロックチェーンの導入により、日本円から米ドルやユーロ等への外貨両替・海外送金サービスに係る高額な手数料改善が期待されています。また、ビットコインによる支払い・送金については、近い将来の主流になる可能性すら秘めています。更にはＳＮＳを通じた作品の画像確認や購入交渉推進といった、スピーディーなコミュニケーションとの相乗効果により、幅広い作品を対象としたグローバルな取引が活性化していくものと予想されます。

⑶　スマート・コントラクト導入による、高い透明性を備えた低コストのサービス運用

「スマート・コントラクト」とは、ブロックチェーンを利用した契約自動執行プログラ

ムのことです。第三者を介すことなく、予め定義されたコード通りに処理を行うため、IoT※7や著作権管理、シェアリング・サービスなど様々な領域への導入・運用が期待されています。

映像作品に関しては、スマート・コントラクトの導入によって、その鑑賞と付随する料金の徴収並びに権利保有者への分配。更には、作品と証明書をバンドルした形での売買及び、所有権のスムーズな移転が期待されています。

また、第6章で取り上げた、CMに代表される広義のメディア・アートにおける、保存や閲覧・鑑賞に対しても大きな威力を発揮するものと考えられます。

同様に、海外で普及しはじめている「追及権※8」についても、転売が繰り返される高額作品を制作・販売する著名アーティスト並びにその遺族に対する「富の集中」や、価格形成における大きなファクターである適切な保管環境への投資を無視した「著作権者偏重姿勢」を改善。我が国の実情に合った追求権制度を確立し、正しく導入・運用するため※9に、スマート・コントラクトの存在は必要不可欠といえるでしょう。

加えて、シェアリング・サービスにおける導入は、従来、破綻するケースが大半であったアート作品の共同保有（いわゆる競走馬における、共有馬主あるいはクラブ法人＝一口馬主）や投資ファンドなどに関し、その成功確率を劇的に高める可能性を有しているといえます。

ただし、こうしたサービスの実現・実用化においては、いくらブロックチェーンが強い耐改竄性を有していたとしても、リアルな作品や証明書（紙製）を、バーチャルなブロックチェーン上に記録・登録する段階で、改竄や偽造、転記ミス等が発生するリスクについて認識しておくべきでしょう。スマート・コントラクトとは異なり、人的作業における性善説や正確性担保といった課題は、簡単に解決できそうにありません。

また、作品証明書や来歴などの作品情報登録についても、秘匿性重視の観点からブロックチェーン導入に協力しないディーラーやコレクターが一定数存在することは明らかでしょう。それでも、新しいテクノロジーが、アート・ワールドを変えていくことだけは間違いありません。

7-6　日本におけるアートのブロックチェーン・ビジネス

さて、日本では一体どのような企業がブロックチェーン×アートの分野で、実際のビジネスを展開しているのでしょうか？　私自身も有志の一人として参加している、「美術業界におけるブロックチェーン技術の応用可能性に関する調査及びガイドラインの作成」を目的に設立された、第三者委員会オープン・アート・コンソーシアム（Open Art Consortium）※10で中核を成す、スタートバーン株式会社[※11]とアマトリウム株式会社[※12]の2社をご紹介したいと思います。

前者は2014年3月に多摩美術大学絵画科を卒業し、東京大学大学院を修了したアーティストの施井泰平が創業。オフィスは、東京大学アントレプレナーラボの中にあります。事業領域は、自社サービス「Startbahn.org」の運営に加え、ブロックチェーン関連プロジェクトの設計や開発、コンサルティング及び情報処理業務全般となっています。

「Startbahn.org」はアート作品の登録・売買機能を提供すると共に、ブロックチェーンの技術を利用することで「改竄や紛失を防ぎ、作品価値を長期間に亘って残せる」作品証明書の発行や来歴証明が可能なサービスです。

また、同社の「アート・ブロックチェーン・ネットワーク」サービスは、世界中のあらゆるアート関連サービスや団体を繋げ、発行済みの作品証明書や来歴を自動記録すると共に、スマート・コントラクトにより作品の流通管理を行っていきます。2019年6月末日時点で、SBIアートオークションや、株式会社丹青社が手掛けるアートや工芸作品の新たなプラットフォーム「B-OWND」など、複数のアート作品のオンライン通販企業・事業及びギャラリーが加入を発表しています。

こうしたネットワークに世界中のプレイヤーが参加すれば、ギャラリーやオークション・ハウス、美術館及びコレクター間での情報共有化における、負担軽減やコスト削減に劇的な効果をもたらすことになるでしょう。

他方、後者のアマトリウム株式会社はハーバード大学で心理学・美術史を学び、孫正義育英財団※13メンバーに選抜されたアーティストの丹原健翔によって、２０１７年8月に設立されました。同社の事業領域は、ブロックチェーン・プラットフォーム事業に加え、アート作品の保管・貸出・デジタル化やコレクション作品の管理サービス、更には展覧会やイベントの企画・運営を通じたコミュニティ形成事業となっています。

特にアート作品のデジタル化に関しては、ギャラリーなどの在庫作品をデジタル化し、その画像を配信。利用者は作品レンタルのように手持ちのデバイスで楽しむという、ギャラリーのキャッシュ・コンバージョン・サイクル※14（の一部）を上手く利用したサービスです。そこで販売と同時に発生する購買者への所有権移転と画像配信の停止、レンタル画像点数など利用内容管理や、サービス利用料の徴収に威力を発揮するのがスマート・コントラクトです。在庫や死蔵品を活用することによって、新たな価値を生み出す同サービスは彼ら独自のビジネス・モデルといえるでしょう。

さて、前出のスタートバーン株式会社は、２０１9年5月までで、ＵＴＥＣ（株式会社東京大学エッジキャピタル）や電通、ＳＢＩインベストメントから累計4・7億円の資金調達を達成しています。このことは同社ビジネスの順調な滑り出しのみならず、ブロックチェーンに対して世間が有する期待の大きさを表しているといえます。

しかし先端技術により社会変革を促すビジネスの多くは、他の業種以上に厳しい弱肉強食の理に則っています。eコマースやSNSといったサービスが、現在GAFAあるいはBATH※15に集約されているように、両社も早晩グローバル・レベルの激しい生存競争に巻き込まれることは明らかです。

果たして、日本発のサービスあるいは企業は、生き残っていくことができるのでしょうか？期待を込め、その行く末を見守っていきたいと思います。

第7章　註釈

※1：集積回路：IC（integrated circuit）とは、トランジスターやダイオードなど多数の回路素子を、1個の基板に組み込んだ超小型電子回路です。電子制御による高性能化が一般化してきたことに伴って、機械部分をICに置き換えることで、更なる高性能化と操作性向上を図っています。

※2：ノード：(node) とは、本来、結び目、集合点、節という意味です。コンピュータ・ネットワーク

に接続されているデジタル・デバイスやコンピュータ、スマホあるいは通信機能を搭載した家電製品などを指します。

※3：P2P通信：P2Pとは、Peer to Peer の略記であり、ノード間でサーバを介さずに直接通信することです。

※4：公開鍵と秘密鍵：仮想通貨を安全に取引するには、暗号化技術を用い、第三者に情報内容を知られないようにしなければなりません。その際、「暗号化を行う鍵」と「暗号化から情報を復元する鍵」の2種類を使用する方法が「公開鍵暗号方式」です。仮想通貨の受信者は「公開鍵」を送信者に送り、送金通貨の暗号化を行ってもらいます。公開鍵により暗号化され、送られてきた通貨情報を、受信者は「秘密鍵」を使い復号（暗号解除）します。

※5：作品証明書（Certificate）：項目　アーティストの署名と日付が記載されているケースが多い。

※6：作品鑑定書：故人の作品が、真作であることを証明する書類。日本では、梅原龍三郎や藤田嗣治をはじめとする洋画家73名、奥村土牛や竹久夢二をはじめとする日本画家52名、加藤唐九郎や富本憲吉をはじめとする工芸家23名について、真贋鑑定を毎月1回行う東京美術倶楽部・鑑定委員会が有名です。また、アーティストの遺族や弟子、または関係者が数人集まり鑑定委員会を結成する場合もあります。

※7：IoT：センサーと通信機能を組み込んだあらゆる機械同士が、インターネットを通じて繋がり、

互いの情報や機能を共有・補完し合う状態。

※8：追及権：フランス語である「Droit de Suite」の日本語訳。作品が転売される度に、著作権保有者あるいはその相続人等が売却価格の一部を得る権利及び制度を指します。

※9：筆者の「追及権」に関する考え方については、第2回文化審議会著作権分科会国際小委員会における発表内容と資料をご覧ください。
文化庁 第2回文化審議会著作権分科会国際小委員会　2018年12月19日
http://www.bunka.go.jp/seisaku/bunkashingikai/chosakuken/kokusai/h30_02/
2019年6月28日閲覧

※10：オープン・アート・コンソーシアム：新しい技術の利用指針や制度設計に、多様なステークホルダーの意見を反映、美術的な価値を担保しながら業界の活性化を目指す第三者委員会。
具体的には、以下の3点に取り組んでいます。
(1) 美術業界におけるブロックチェーン技術の応用可能性に関する調査及びガイドラインの作成
(2) 美術業界における情報通信技術の利用動向に関する調査及びレポートの作成
(3) 国内美術業界の活性化を目的とする既存の文化政策に関する調査及び提案書の作成

※11：スタートバーン株式会社：同社の企業及びサービスの概要は、左記の公式Webサイトをご確認ください。https://startbahn.jp/
2019年6月28日閲覧

※12：アマトリウム株式会社：同社の企業及びサービスの概要は、左記の公式Ｗｅｂサイトをご確認ください。
https://amatorium.com/index.html
２０１９年６月28日閲覧

※13：孫正義育英財団：「『高い志』と『異能』を持った若者に自らの才能を開花できる環境を提供し、人類の未来に貢献する」を目的に、２０１６年12月にソフトバンクグループ代表・孫正義によって創設された公益財団法人です。29歳（財団生選考応募時点で25歳）以下の天才や異能者を発掘し、多角的な支援と育英事業を行っています。

※14：キャッシュ・コンバージョン・サイクル：仕入れから、販売に伴う現金回収までに要する日数です。資金効率を見るための指標であり、短いほど資金効率が良いといえます。

※15：ＢＡＴＨ：ＧＡＦＡに倣い中国のハイテク巨大企業を指します。百度（バイドゥ）、阿里巴巴集団（アリババ）、騰訊（テンセント）、華為（ファーウェイ）各社のアルファベット表記の頭文字から名付けられています。最近は次世代の新三巨頭として、頭条（トウティアオ）、美団（メイトゥアン）、ディディ（滴滴）から成るＴＭＤもメディアにしばしば登場しています。

※本章執筆にあたり「ブロックチェーン」、「ビットコイン」、「仮想通貨」などについて、以下を参考にし、また、一部を引用しています。

ドン・タプスコット＋アレックス・タプスコット『ブロックチェーン・レボリューション』高橋璃子訳

ダイヤモンド社
「ブロックチェーンの基礎知識や仕組みについて解説します」AIre Voice　２０１９年3月10日
https://aire-voice.com/blockchain/2654/
「ビットコイン（Bitcoin）とは？」bitFlyer　２０１９年
https://bitflyer.com/ja-jp/bitcoindigitalcurrency
「ブロックチェーンとは」ＧＭＯコイン
https://coin.z.com/jp/corp/information/blockchain/
田上智裕「ブロックチェーンはなぜ安全といえるのか、耐改ざん性を解説」coinge
https://coinge.jp/post-3334
いずれも、２０１９年6月28日閲覧

＊本章の内容について、アマトリウム株式会社 代表取締役の丹原健翔氏と、オープン・アート・コンソーシアム 事務局長の伊東謙介氏にご確認いただきました。
この場を借りて、御礼申し上げます。

第７章　ブロックチェーンが拓く、仮想通貨時代のアート

第8章
美術館淘汰の時代

第8章　美術館淘汰の時代

8－1　美術館に新しいライバル登場

これまで各章ではアートと経済の密接な関係を、産業やファッション、クィア॥性的多様性といった様々な視点から探ってきました。そして、優れたアート作品を収蔵・展示する文化施設や、ビエンナーレに代表される大型国際展が都市興しの切り札であることを、多くの事例を通じ明らかにしました。

訪日外国人数は2018年に前年比8・7％増の3119万2000人となり、JNTO（日本政府観光局）が統計を開始して以来、過去最多を記録しています。ところが、アジア有数の近代アート作品のコレ

（図表11）　世界の美術館入館者数TOP10

順位	美術館・博物館名	都市	国	入館者数（人）
1	ルーヴル美術館	パリ	フランス	7,400,000
2	メトロポリタン美術館	ニューヨーク	米国	7,006,859
3	大英博物館	ロンドン	英国	6,420,395
4	ナショナル・ギャラリー	ロンドン	英国	6,262,839
5	ヴァチカン美術館	ヴァチカン	ヴァチカン	6,066,649
6	テート・モダン	ロンドン	英国	5,839,197
7	国立故宮博物院	台北	台湾	4,665,725
8	ナショナル・ギャラリー	ワシントンD.C.	米国	4,261,391
9	エルミタージュ美術館	サンクトペテルブルグ	ロシア	4,119,103
10	ソフィア王妃芸術センター	マドリード	スペイン	3,646,598
13	ポンピドゥー・センター	パリ	フランス	3,335,509
16	オルセー美術館	パリ	フランス	3,000,000
17	ニューヨーク近代美術館	ニューヨーク	米国	2,788,236
20	国立新美術館	東京	日本	2,623,156

出典：The Art Newspaper（英国）Number289，2017年4月

クションを有しながら、日本の美術館は美術館入館者数ランキングでは、７位・国立故宮博物院（台北）や12位・韓国国立中央博物館の後塵を拝し、最高位で国立新美術館の20位・２６２万３１５６人に留まっています。（図表11）

しかも同館は、公募展や新聞社などの主催による大規模企画展向けの会場貸しを目的とした、コレクションを持たない施設です。それゆえ、同館の英語名称はミュージアムではなく、アートセンターとなっています。

もっとも、日本人の特別展に対する鑑賞意欲は高く、人気が高い展覧会であれば１００日前後の会期で50万人にも及ぶ入場者を集めています。（図表12）国立新

（図表 12）　2018 年美術展覧会入場者数 TOP10

順位	展覧会名	会　期	美術館・博物館名	入場者数（人）
1	レアンドロ・エルリッヒ展：見ることのリアル	2017 年 11 月 18 日～4 月 1 日	森美術館	614,411
2	建築の日本展：その遺伝子のもたらすもの	4 月 25 日～9 月 17 日	森美術館	538,977
3	ルーヴル美術館展　肖像芸術－人は人をどう表現してきたか	5 月 30 日～9 月 3 日	国立新美術館	422,067
4	ゴッホ展　巡りゆく日本の夢	2017 年 10 月 24 日～1 月 8 日	東京都美術館	370,031
5	至上の印象派　ビュールレ・コレクション	2 月 14 日～5 月 7 日	国立新美術館	366,777
6	北斎とジャポニズム　HOKUSAI が西洋に与えた衝撃	2017 年 10 月 21 日～1 月 28 日	国立西洋美術館	364,149
7	特別展「縄文－1 万年の美の鼓動」	7 月 3 日～9 月 2 日	東京国立博物館	354,259
8	特別展「仁和寺と御室派のみほとけ－天平と真言密教の名宝」	1 月 16 日～3 月 11 日	東京国立博物館	324,042
9	没後 50 年　藤田嗣治展	7 月 31 日～10 月 8 日	東京都美術館	301,638
10	プラド美術館展　ベラスケスと絵画の栄光	2 月 24 日～5 月 27 日	国立西洋美術館	295,517

出典：美術手帖「2018 年美術展覧会入場者数 TOP10」　2018 年 12 月 21 日

美術館が世界の美術館入館者数ランキングで20位に入った理由も、「印象派」や「ルーヴル美術館」（2017年では「ミュシャ」展：65万7350人や「草間彌生　わが永遠の魂」展：51万8893人）といった人気企画展の入場者数が記録に直結しているからです。

世界に目を転じれば、パリのルーヴル美術館は、2018年の来館者数が約1020万人に達しています。それは過去最高を記録した、2012年の970万人を大幅に上回る数値でした。同館はその要因を、1日の来場者数が5150人にも上った「ドラクロワ」展（会期：2018年3月29日~7月23日／総来場者数は約54万人）に加え、ビヨンセ&ジェイ・Zによるザ・カーターズ（The Carters）MVの幅広い層に向けたアピールであったと分析しています。

米国ヒップホップ界のパワー・カップルである二人のユニットは、ニュー・アルバム『エヴリシング・イズ・ラヴ（Everything Is Love）』から、リード・シングル曲「エイプシット（Apeshit）」のMVを制作するにあたり、全編ルーヴル美術館で撮影を敢行。《モナ・リザ》（1503~1506年）にはじまり、《サモトラケのニケ》（紀元前200~紀元前190年頃）や、《ミロのヴィーナス》（紀元前130~紀元前100年頃）といった美術史を代表するマスター・ピースが次々に登場します。名作の美しさに息を呑み、壮麗なダンス・シーンは観る者を圧倒しますが、注意深く眺めれば映像に込められた彼らの強烈なメッセージに気づくはずです。白人優位主義を視覚化した作品群と、有色人種（黒人）による音楽、そして身体表現の鮮やかな対比は、西欧文明における長い人種差別の歴史を私たちに強く意識させます。[※1]

さて、以上のように様々な話題を提供しながらも、１０００万人超の入館者数を誇るルーヴル美術館に対して、入館者数で世界第2位につけるニューヨークのメトロポリタン美術館は、入館料を本人の篤志に任せる「ペイ・アズ・ユー・ウィッシュ（あなたの望む金額をお支払いください）」制度を２０１８年3月1日に変更しました。新システムでは、これまで「推奨額」とされていた、大人25ドルが定額の入館料になっています。

過去８年間で来館者が40％増加していたにも関わらず、寄付制によるチケットの収益は大幅に低下していたことが原因でした。「ペイ・アズ・ユー・ウィッシュ」推奨額の25ドルを支払う来館者は、２００４年には全入館者の63％を占めていました。ところが、制度改定前には17％まで落ち込んでいたといいます。また、一人当たりの平均入館料も9ドルに低下していたため、同館の運営に深刻な影響をもたらしていました。[※2] ＭＥＴガラで一晩に１３５０万ドル（約15億円）の寄付金を集める同館も、サックラー・ファミリーからの大口助成が見込めない今、入場料収入の低下は死活問題になりかねません。

世界中から多くの観光客を集めるトップ・ミュージアムが、こうした状況に見舞われる遠因として、アート作品の高額化によって事業規模を拡大し続けるビッグ・ギャラリーの存在があります。２０１８年アート界で最も影響力のある人物トップ１００のうち、第1位と第6位はそれぞれデイヴィッド・ツヴィルナーと、イワン&マニュエラ・ワースという2組のギャラリストが占めています（図表6）アート・レビュー誌２０１８年「パワー１００」91ページ参照）。また、２０１７年の同ランキングでは、第5位、7位、10位、15位、20位が、ギャラリストでした（図表13）。

イワン&マニュエラ・ワース夫妻が経営するギャラリー「ハウザー&ワース（Hauser & Wirth）」は、１９９２年にスイスのチューリッヒで開廊し、今では同地以外にサマセット（英国）、ロンドン、ニューヨーク（22丁目と69丁目の2箇所）、ロサンゼルス、サンモリッツそして香港に支店網を

（図表13）　アート・レビュー誌2017年　「パワー100」
（アート界で最も影響力のある人物トップ100）

2017年順位	名　前	役職・所属等	2016年順位
1	ヒト・シュタイエル	アーティスト	7
2	ピエール・ユイグ	アーティスト	24
3	ダナ・ハラウェイ	学者（テクノロジー、ジェンダー）	43
4	アダム・シムジック	ドクメンタ14芸術監督	2
5	ディヴィッド・ツヴィルナー	ギャラリスト：ディヴィッド・ツヴィルナー	4
6	ハンス＝ウルリッヒ・オブリスト	サーペンタイン・ギャラリー芸術監督	1
7	イワン&マニュエラ・ワース	ギャラリスト：ハウザー・アンド・ワース	3
8	テルマ・ゴールデン	ハーレム・スタジオ美術館館長	29
9	ブルーノ・ラトゥール	哲学者	New
10	ギャビン・ブラウン	ギャラリスト：ギャビン・ブラウ・エンタープライズ	27
15	ラリー・ガゴシアン	ギャラリスト：ガゴシアン・ギャラリー	6
20	モニカ・シュプルート&フィロメーネ・マーガース	ギャラリスト：シュプルートマーガース	14

拡げています。

旗艦店であるハウザー&ワース・サマセット（Hauser & Wirth Somerset）【図40】は、ロンドン中心部から特急列車でおよそ1時間30分ほどの距離にあり、広大な丘陵地帯に点在する建物群は、まるでバブアーのワックス・ジャケット[※3]を纏った英国貴族が、レンジローバー[※4]を駆って巡視する荘園のような規模と佇まいです。

18世紀に建てられた農場をリノベーションした同施設は、ギャラリー・スペースは勿論のこと、宿泊棟やレストランに加えて、ミュージアム・ショップや食料品のブティックなどを備えています。「フィールド」と名付けられたイングリッシュ・ガーデンは、世界的なランドスケープ・デザイナーであるピエト・オウドルフ（Piet Oudolf, １９４４年〜）[※5]が手掛けた野趣溢れる庭園で、園内にはヘンリー・ムーア（Henry Moore, １８９８〜１９８６年）の彫刻や、六本木ヒルズでランド・マークとしてお馴染みのルイーズ・ブルジョワ（Louise Bourgeois, １９１１〜２０１０年）による巨大な蜘蛛の立体作品などが設置されています。ここはギャラリーですから、それらは全て販売可能な作品です。同地の天候は変わりやすく、庭園散策中の雨宿りに便利なのが、スミルハン・ラディック（Smiljan Radic, １９６５年〜）による「サーペンタイン・ギャラリー・パヴィリオン２０１４」[※6]（展示期間：２０１４年６月26日〜10月19日）を移築したモニュメントです。

　また、レストランの内装とバー・カウンターは、ディーター・ロス（Dieter Roth, 1930~1998年）[※7]のスタジオに残された作品及び素材を利用したもので、彼の息子二人によって再構築されたものです。そこで供されるのは、同地の農場で収穫された新鮮な食肉や乳製品、有機野菜を使用したモダン・ブリティッシュ・キュイジーヌです。加えてグループ旅行や小学生向けには、無料のギャラリー・ツアーやワーク・ショップも用意されているなど、正に至れり尽くせりの文化施設として、地元に多大な経済波及効果と文化的な恩恵をもたらしています。

　そして驚くべきは、同施設では飲食や物品購入以外、原則として入場料などの施設

図 40
ハウザー & ワース・サマセット　著者撮影

利用料を支払う必要がないという点です。
さて、２０１２年に長らくロサンゼルス現代美術館の主任キュレーターを務めた、ポール・シンメル(Paul Schimmel, １９５４年～)が同館を辞すると、ハウザー&ワースはパートナー兼上級副社長として彼を迎えました。その後は、ハウザー、ワース&シンメルをロサンゼルスに創設し、同ギャラリーが米国・西海岸に進出する橋頭堡としています。[※8]
また、ロンドンのニュー・スペース開廊を飾るポール・マッカーシー(Paul McCarthy, １９４５年～)展では、彼の卓越したキュレーション手腕により、マッカーシーがヨーロッパで高く評価される素地を作っています。このように、同ギャラリーは世界的キュレーターを起用し、展覧会のために公立美術館から作品を借り、著名評論家による論考を掲載した美しいカタログを数多く刊行しています。[※9]
他方、かつては波止場に面して倉庫が並び、港湾労働者の古びたアパートや、「泥棒市」と呼ばれる盗品マーケットが賑わいを見せていたロンドン東南部の街・バーモンジー。そこを、小洒落たブティックやアンティーク・ショップ、洗練されたレストランが軒を連ねるエリアに変えたのは、たった一軒のギャラリーでした。
１９９３年、ジェイ・ジョップリングがわずか29歳でロンドンのセント・ジェームスに開廊した小さなスペース「ホワイト・キューブ(White Cube)」は、ダミアン・ハースト(Damien

Hirst, 1965年〜）やトレイシー・エミン（Tracey Emin, 1963年〜）といった若きYBA[※10]の個展を連続して開催することで大きな話題を呼びます。

展覧会の話題ばかりでなく、彼は寂れているエリアを戦略的に選び出店し、スペースの移転を繰り返すことで地域の不動産価値をも高めてきました。過去には、荒廃した工場地帯であったショーディッチ地区の振興にも一役買っています。その彼が次に目を付けたのがバーモンジーで、1970年代の倉庫を改装した5万8000平方フィート（およそ5400平方メートル）の展示スペースは、コマーシャル・ギャラリーとしてはヨーロッパ最大規模を誇っています【図41】。

図41
ホワイト・キューブ バーモンジー　著者撮影

ジョップリング家は元々不動産業を営んでおり、父親は、１９８０年代に農水産食糧大臣を務めた保守党の大物貴族院議員です。そうした出自を考えれば、アート作品のみならず、不動産への鋭い目利きにも納得できます。今では、ロンドン2箇所とニューヨーク、そして香港に店舗を有しています。

広大なスペースを活かした見応えのある展覧会を開催し、豊富な図版と優れたテキストを収録したカタログを出版。更にはカフェやミュージアム・ショップまで備えたビッグ・ギャラリーは、前出の2軒以外にも、デイヴィッド・ツヴィルナーやガゴシアン・ギャラリー、ペースなど世界で十数軒ほど存在しています。

このように質の高い展覧会を入場料無料で催すギャラリーが、入館料20〜25ドルの美術館周辺に存在することが、どれほどの影響を及ぼしているかは容易に想像がつくと思います。いまや世界的なメジャー美術館のライバルは、他の美術館ではなく、作品高額化に伴い豊富な資金力を有するビッグ・ギャラリーなのです。

８‐２　日本の美術館が生き残る術

横浜・みなとみらい地区に１９８９年開館した横浜美術館（施設設置者：横浜市、指定管理者：公益財団法人　横浜市芸術文化振興財団）は、７つの展示室に加え、蔵書約11万冊の美術情報センターや市民のアトリエ、更にはレクチャーホールやレストラン（2019年・夏に終了）、カフェまでを備えた、延床面積2万6839平方メートルを誇る関東圏最大規模の地方美術館です。ピカソやセザンヌ、フランシス・ベーコンといった近・現代の巨匠の手になる作品や、特徴的な写真コレクション、加えて日本画、工芸の優品まで網羅した収蔵作品は約1万2000点に上ります。また、奈良美智や金氏徹平といった当代の若手アーティストを他館に先駆け個展形式で紹介するなど、意欲的な企画展は毎回大きな評判を呼んでいます。

では、同館を維持・運営していくのに、1年間で一体いくらくらいの運営経費が必要か想像できるでしょうか？　答えは、年間で約11億円です。[※11]

美術館を支える横浜市の税収は、その半分が約3570億円の市民税であり、うち、個人市民税が約3000億円と84%を占めています。しかも、2019年をピークに人口減少が見込まれることから、税収入の中心を占める個人市民税が2024年度から減少し続けると共に、扶助費や医療・介護に係る義務的な繰出金は、逆に増加していくことが見込まれます。[※12]こうした点を勘案すれば、同館が10年後も安定的な運営を行っていけるかどうかは、極めて懐疑的であるといえるでしょう。

そこで横浜美術館は、企業による年間支援プログラム「Heart to Art」（2018年度実績：9社）や、一口1万円からお気に入りの作品に対して寄付できる、個人参加型の収蔵作品支援プログラム「コレクション・フレンズ」[※13]など特徴的な施策で、自主財源の確保に乗り出しています。また、丹下健三（１９１３〜２００５年）[※14]設計の開放的なグランドギャラリーを、ユニーク・ベニュー[※15]として利用した４００名規模のパーティー誘致にも積極的に取り組んでいます【図42】。

公立美術館としては非常に稀なこれら先進的試みは、元々森美術館時代から来館者との接点づくりに取り組んでいた逢坂恵理子館長と渉外担当リーダーである襟川文恵によるところが大きいものと思われます。今後は、少子高齢化とそれに伴う税収低下に備え、全ての美術館がこうした自主財源確保

図 42
横浜美術館・グランドギャラリー（ユニーク・ベニュー）活用事例
「BODY ／ PLAY ／ POLITICS 展」（会期：2016 年 10 月 1 日〜 12 月 14 日）
特別協賛：寺田倉庫　スペシャル・プレビュー＆レセプション風景

や経営戦略の策定・実施に取り組んでいかなければならないでしょう。

ところで最近、文化のみならず医療及びごみ処理施設など、自治体が手掛ける様々なサービス分野で、よく耳にする言葉の一つに「PFI（Private Finance Initiative）」[※16]があります。それは、英国における「小さな政府」実現に向けた取り組みの中から、公共事業・サービスに民間の資金やノウハウを活用する方策として1990年代初頭に誕生した制度です。

日本における先進的な文化・美術分野の事例として、本節では「福岡市美術館リニューアル事業」を取り上げたいと思います。同美術館は、前川國男（1905～1986年[※17]）設計による赤茶色の独特な磁器質外壁と、各展示室へのアプローチとして機能する広いロビー・スペースが特徴の建物です。そのロケーションも、市の中心部に近接していながら、水と緑に恵まれた大濠公園内にあります。

1979年の開館から既に35年が経過しているため、老朽化による展示・収蔵機能の低下や、ユニバーサルデザイン化への対応遅延など様々な問題が顕在化していました。今回のリニューアルでは、美術館としての基本機能を回復すると共に、常設展示室や市民ギャラリーを拡充、更には大濠公園側のアプローチやカフェを新設しています。それらによって前川の建築意匠を継承・活用しながらも、新しい時代に相応しい美術館に再生することを目的としていました。

3グループが参加した一般競争入札は2015年10月に実施され、大林組グループが

99億8826万5358円（税別）で落札しています。事業期間は2034年3月31日までで、2016年9月から2019年3月までの約2年半をリニューアル工事に費やし、開館後は15年間にわたり運営事業を担っていきます。本事業の画期的な点は、前川建築の美しさを後世に遺すため、美術館では全国初となる、既存施設の改修を伴うＲＯ方式[※18]を採用している点でしょう。[※19]

他方、郷土が生んだ世界的な建築家である菊竹清訓（１９２８～２０１１年）[※20]設計による、多目的市民ホール・久留米市民会館の運命は極めて対照的です。１９６９年の竣工以来、長らく地域住民に愛されてきた同会館は、２階にエントランスを設けた高床式構造、左右非対称なレイアウトの大ホール客席など、その個性的な外観と相まって非常に特徴的な建築でした。

ところが、市街中心部・六ツ門町の老舗デパート久留米井筒屋の閉店に伴い、その跡地活用から２０１６年久留米シティプラザがオープンすると、２０１７年には解体されてしまいます。同時に、開館からホールのシンボルとして親しまれてきた、同市出身の画家・青木繁（１８８２～１９１１年）による《海の幸》（１９０４年・重要文化財）をモチーフとした緞帳の廃棄処分も決定したのです。

ル・コルビュジエから前川國男を経て丹下健三へと至る建築史の系譜を、国立西洋美術館（世界遺産）→福岡市美術館→横浜美術館と残すことに成功した「福岡市美術館リニューアル事業」。一方で、極めて昭和的なスクラップ＆ビルドによる久留米市民会館の解体を比べれば、訪日外国人観光を含めた経済波及効果や地域コミュニティに対する文化的貢献度において、どちらが優れているかは明白でしょう。ますますシャッター商店街化が進む、久留米シティプラザを中心とする六ツ門地区の現状や、久留米市民会館跡地の広大な駐車場を目にするたび、暗澹たる気持ちになるのは私だけではないはずです。

福岡市美術館以外にも、文化領域におけるPFI事例をご紹介しましょう。1988年市制100周年を記念した「大阪市立近代美術館建設計画」以来、「大阪新美術館建設準備室」を経て、長らく凍結されていた同構想が、今般コンセッション方式[※21]の導入により、大阪中之島美術館として2021年度の新規開館が予定されています【図43】。施設や作品の所有は地方独立行政法人である大阪市博物館機構が保持したまま、公募の民間事業者が開館準備業務期間に続けて15年間（最大15年間の延長が可能）、同館の運営並びに施設管理事業を担うこととなります。[※22]

図 43
大阪中之島美術館　外観イメージ　大阪市提供
（設計：遠藤克彦建築研究所）

ニューヨークのグッゲンハイム美術館で開催された「Gutai：Splendid Playground（具体：素晴らしい遊び場）」展（会期：2013年2月15日～5月8日）以降、国際的な評価が高まり続けている具体美術協会のまとまった作品群や貴重な資料、そして1989年に19億3千万円で購入したモディリアーニの《髪をほどいた横たわる裸婦》（1917年）（50ページでご紹介した約210億円の《横たわる裸婦》【図8】と同時期に描かれ、構図も似通った作品）など、同館には話題の名品、秀作も多いため、その公開と積極的な活用が待たれています。

ちなみに、バブル期に第3セクターが手掛けた同市の大型公共事業は、大阪ワールドトレードセンタービルディング（1988年、総事業費：1193億円）、アジア太平洋トレードセンター（1994年、総事業費：1465億円）、大阪ドーム（1997年、建設費：約498億円）、クリスタ長堀（1997年、総事業費：827億円）など、現在では、そのほとんどが破綻しています。そう考えると、およそ20億円のモディリアーニ購入は、大阪市にとって数少ない成功投資事例であったといえるかもしれません。[※23]

また、中之島地区には、重要文化財である大阪市中央公会堂や図書館、そして伝説的な安宅コレクションを収めた大阪市立東洋陶磁美術館[※24]が集まっています。最近では、朝日新聞社創業者・村山龍平の古美術コレクションを展示する中之島香雪美術館がオープン（2018年3月）したばかりです。そこに新設の大阪中之島美術館を加え、大阪市は文化・学術集積地としての

「中之島ミュージアムアイランド構想」や「中之島アゴラ構想」を計画しているようです。

指定管理者制度やPFIといった民間の資金や経営ノウハウの活用、あるいは広範なファンドレイジングによる自主財源確保に努めない限り、公共（的な）美術館が、変化の激しいこれからの社会を生き抜くことは難しいでしょう。

また、横浜美術館による「コレクション・フレンズ」の効果・効率的運用や、個人の小口寄付を集約しての新規作品購入などに、ブロックチェーンをはじめとする先端技術を試験的に導入してみるのも一考であると思われます。

いずれにしても、大胆な改革実施まで残された時間は、あとわずかしかありません。

追　記

青木繁の遺族や久留米市民の強い希望が実り、《海の幸》をモチーフとした緞帳は、一部（高さ：約3メートル×幅：約5メートル）が切り取られ、佐賀大学による修復・保存措置が施されることになりました。2019年3月24日〜3月31日には、「青木繁原画『海の幸』緞帳 公開修復」展が同大学美術館で開催されています。

第8章　註釈

※１：左記を参考にしています。
「ルーヴル美術館が来館者数の最高記録を更新。２０１８年は１０２０万人が訪問」
美術手帖２０１９年1月8日
https://bijutsutecho.com/magazine/news/headline/19116
「How Beyoncé and Jay-Z Took the Art World by Storm in their New Viral Louvre Video」
Frieze　２０１８年6月19日
https://frieze.com/article/how-beyonce-and-jay-z-took-art-world-storm-their-viral-new-louvre-video
いずれも、２０１９年７月７日閲覧

※２：「メトロポリタン美術館が入館料を義務化。50年ぶりの改定に見る美術館運営の現実とは？」
美術手帖　２０１８年1月19日
https://bijutsutecho.com/magazine/insight/11008
を参考にし、また、一部を引用しています。
２０１９年7月7日閲覧

※３：バブアー（Barbour）のワックス・ジャケット：英国のアウトドア用衣料品メーカー。１８９４年ジョン・バブアーによって、イングランド北東部のサウス・シールズで創業しました。当初、不順な天

候下で働く労働者用に開発された防水ジャケットが高く評価され、100年以上英国王室に愛用され続けています。エリザベス女王、エディンバラ公、チャールズ皇太子の「ロイヤル・ワラント」（英国王室御用達）に認定されています。

※4：レンジローバー（Range Rover）：英国のランドローバー社が生産する高級オールパーパス・フルタイム4WD車であり、ランドローバー・ブランドのフラッグシップ・モデルです。エリザベス女王の戴冠式で初期型シリーズIが使われるなど、純英国メーカーとして王室との結び付きが強く、エリザベス女王、エディンバラ公、チャールズ皇太子の「ロイヤル・ワラント」（英国王室御用達）に認定されています。

※5：ピエト・オウドルフ（Piet Oudolf、1944年〜）：オランダを代表する、世界的なランドスケープ・デザイナー。ニューヨーク・セントラル鉄道高架橋の廃線を、空中庭園を擁した遊歩道「ハイライン」として蘇らせたプロジェクトで知られています。代表作にサーペンタイン・ギャラリー（ロンドン）、ルーリー公園（シカゴ）など。

※6：サーペンタイン・ギャラリー・パヴィリオン：2000年のザハ・ハディド（Zaha Hadid、1950〜2016年）以降毎年、サーペンタイン・ギャラリーでは夏季限定で仮設の休憩所「サーペンタイン・ギャラリー・パヴィリオン」を当代一流の建築家に依頼して設営。過去には、レム・コールハース（2006年）、SANAA（2009年）、アイ・ウェイウェイ＋ヘルツォーク&ド・ムーロン（2012年）などが参加しています。スミルハン・ラディック（Smiljan Radić、1965年〜）：チリのサンティアゴ出身で、1989

年チリ・カトリック大学を卒業後にヴェネチア建築大学で学んでいます。２００１年チリ建築家協会35歳以下の最優秀国内建築家賞受賞。主な作品に「サーペンタイン・ギャラリー・パヴィリオン２０１４」（２０１４年・ロンドン）、「直角の詩に捧ぐ家」（２０１２年・ビルチェス）、「NAVE パフォーミング・アーツ・ホール」（２０１５年・サンティアゴ）などがあります。

※７：ディーター・ロス（Dieter Roth, １９３０〜１９９８年）：ドイツのハノーファー出身で、スイスで活動したアーティストです。アーティストブックをはじめとする様々な印刷物（ディーター・ロス財団は、彼が１９４７〜１９９８年の間に発表した、グラフィック・ワーク全５２４点を作品として認定）や彫刻、インスタレーションそしてレディメイドといった多様なメディアの特性を活かした作品を制作。中でも腐敗していく肉や昆虫が巣食っているチョコレートなど、食品の使用による意図的な作品状態変化にフォーカスした表現で知られています。

※８：詳細な経緯については、拙著『現代アート経済論』光文社　２０１〜２０３ページをお読みください。

※９：ポール・マッカーシー（Paul McCarthy, １９４５年〜）：ソルトレイクシティ出身で、サンフランシスコ・アート・インスティチュート等で美術を学び、１９７２年南カリフォルニア大学で博士号を取得しています。ロサンゼルスを拠点に活動し、１９８２〜２００２年にはカリフォルニア大学ロサンゼルス校で教鞭を執っていました。アラン・カプローの「ハプニング」に影響を受け、現実世界に混乱を生み出すようなパフォーマンスや、一見悪趣味ともとれる巨大な彫刻作品で知られています。典型的なアメリカ大衆文化を引用することで、大量消費に支配された社会を露悪的に批判している点が特徴です。

※10：YBA：Young British Artists の略で、1990年代に頭角を現した新しい世代のアーティスト達を指します。サッチャー政権下の緊縮財政で、アートに対する補助金や各種の助成が削られる一方の状況に対し、ダミアン・ハーストら若いアーティストが自ら展覧会を組織し作品を発表。サーチ卿がコレクションしたことから国内で認められ、1997年彼らの作品を大々的に扱った「センセーション」展のベルリン、ニューヨーク巡回を経て、世界中で評価が確立しました。

※11：11億2642万8135円（横浜美術館 平成28年度業務報告及び収支決算）、10億2423万5845円（横浜美術館 平成29年度業務報告及び収支決算）、11億8603万8000円（横浜美術館 平成30年度業務計画及び収支予算）

※12：横浜市 平成29年度一般会計決算の概要
https://www.city.yokohama.lg.jp/city-info/zaisei/jokyo/ketu/h29ketu.files/p1.gaiyou.pdf
横浜市中期4か年計画2018～2021
https://www.city.yokohama.lg.jp/city-info/seisaku/hoshin/4kanen/2018-2021/chuki2018-.html
以上を参考にしています。
いずれも2019年7月14日閲覧

※13：コレクション・フレンズ：横浜美術館コレクションの保存、修復、展示のための資金充実を目的とした、個人参加型芸術支援プログラムです。当初は作品を指定して支援する仕組みでしたが、現在では館蔵品全体を対象としています。詳細は、同館の公式Webサイトをご覧ください。

https://yokohama.art.museum/collection/friends/
２０１９年７月14日閲覧

※14：丹下健三（１９１３～２００５年）：大阪府出身、１９３８年東京帝国大学建築学科を卒業し、前川國男建築設計事務所勤務を経て、１９４５年同大学大学院を卒業。主な作品は広島平和公園（１９５０年）と広島平和記念資料館（１９５５年）、新・旧東京都庁舎（１９５７／１９９１年）、香川県庁舎（１９５８年）など。また、東京オリンピックでは、国立代々木競技場・屋内総合体育館（１９６４年）を、大阪万国博覧会ではマスタープラン（１９７０年）を手掛けています。

※15：ユニーク・ベニュー：イベントや会議、パーティーを開催する、本来専用施設ではない会場。歴史的建造物や文化施設、街中の公的スペースなどをユニーク・ベニューと呼びます。参加者に対して、特別感や地域特性の体験を提供できるような会場を指します。

※16：ＰＦＩ（Private Finance Initiative）：民間の資金と経営能力やノウハウを活用し、公共施設等の設計・建設・改修や維持管理・運営を行う公共事業の手法です。あくまで地方公共団体が発注者となり、公共事業として行うものであり、ＪＲやＮＴＴのような民営化とは異なります。日本では、１９９９年７月にＰＦＩ法が制定され、同法に準拠したＰＦＩ事業の実施が可能となりました。

※17：前川國男（１９０５～１９８６年）：ル・コルビュジエ、アントニン・レーモンドの元で学び、モダニズム建築の旗手として、第二次世界大戦後の日本建築界をリードしました。丹下健三や木村俊彦は前川事務所出身です。主な作品に、岡山県庁舎（１９５７年）、東京文化会館（１９６１年）、日

本万国博覧会鉄鋼館（1970年／EXPO'70パビリオン）、埼玉県立博物館（1971年／現・埼玉県立歴史と民俗の博物館）、国立西洋美術館新館（1979年）、福岡市美術館（1979年）などがあります。

※18：RO方式：Rehabilitate（改修して）→Operate（管理・運営する）の略。PFIには他にBTO方式(Build:建てて→Transfer:所有権を移転して→Operate:管理・運営する)やBOO方式(Build:建てて→Own：所有して→Operate：管理・運営する)、BOT方式（Build：建てて→Operate：管理・運営して→Transfer：所有権を移転する）があります。

※19：「福岡市美術館リニューアル事業について」を参考にしています。
http://www.city.fukuoka.lg.jp/keizai/artmuseum-kanri/shisei/fukuoka-art-museum-renewal.html
2019年7月14日閲覧

※20：菊竹清訓（1928～2011年）：福岡県久留米市出身。1944年早稲田大学専門部工科建築学科入学。1945年に久留米駅舎コンペで1等、1948年に広島平和記念カトリック聖堂コンペで3等を獲得するなど、在学中から活躍していました。1950年早稲田大学理工学部建築学科卒業と同時に竹中工務店に入社し、村野・森建築設計事務所を経て、1953年に菊竹清訓建築設計事務所を開設。同建築事務所出身者には、伊東豊雄や長谷川逸子がいます。主な作品は、石橋文化センター（1956年）、国鉄久留米駅（1967年・現存せず）、久留米市民会館（1969年・現存せず）、ベルナール・ビュフェ美術館（1973年）、アクアポリス（沖縄国際海洋博覧会・

１９７５年・現存せず）、久留米市役所（１９９４年）、九州国立博物館（２００４年）などです。

※21：コンセッション方式：施設の所有権を移転せず、民間事業者にインフラの事業運営に関する権利を長期間にわたって付与する方式。２０１１年5月の改正ＰＦＩ法では「公共施設等運営権」として規定されています。

※22：大阪市報道発表資料「大阪中之島美術館の運営におけるＰＦＩ事業の実施方針を公表します」２０１９年6月14日
https://www.city.osaka.lg.jp/hodoshiryo/keizaisenryaku/0000471905.html
を参考にしています。
２０１９年7月14日閲覧

※23：各事業体の公式Ｗｅｂサイトや大阪市報道発表資料並びに、左記を参考にしています。
大阪維新の会「維新プレス　Vol.6」２０１４年7月10日
https://oneosaka.jp/pdf/ishinpress_vol06.pdf
２０１９年7月14日閲覧

※24：十大商社の一角を占める安宅産業破綻に伴い、住友銀行の主導により住友グループ21社が、総額１５２億円を大阪市文化振興基金に寄付。市はその寄付金でおよそ千点に上る同社保有の安宅コレクションを買い取り、寄付金の積み立てに伴う運用利息によって、コレクションを収蔵・展示する大阪市立東洋陶磁美術館を中之島公園に建設しました。

終 章

終わりに：文化・芸術が果たす役割

終　章　終わりに：文化・芸術が果たす役割

9-1　大阪・関西万博2025+統合型リゾート施設とアート

ここまで本書をお読みいただき、アートは社会全体、中でも経済とは切っても切れないほど強い結び付きを有していることを、おわかりいただけたものと思います。

2025年には、大阪・関西万博（会期：2025年5月3日〜11月3日）が、大阪市夢洲《ゆめしま》（大阪北港の一角を占める人工島）で開催されます【図44】。そして、その前年には、カジノを含むIR（統合型リゾート、以下IR）施設オープンを目指し、大阪府と大阪市が2020年春のIR事業予定者決定に向けて、急ピッチで準備に取り組んでいると聞いています。万博のテーマは「いのち輝く未来社会のデザイン」で、会場周辺を国家戦略特区に指定して先端医療やドローン、車の自動走行、ロボットといった未来社会に向けた技術の実験場にする方針を発表。会場建設費は約1250億円で、その経済波及効果はおよそ2兆円に上ると予想されています。

現在、巷で話題になっているIRとは、国際会議場や展示施設、ホテル、更には、ショッピング・モールやレストラン街、劇場などに加えて、地方自治体の申請に基づきカジノ併設を認める点が大きな特徴となっています。

２０１６年12月のＩＲ整備推進法並びに２０１８年７月のＩＲ実施法の成立によって、加速度を増す我が国のカジノ施設開業ですが、一方ではギャンブル依存症やパチンコ産業に対する圧迫も懸念されています。これら問題の根底には、パチンコが実態としては紛れもないギャンブルでありながら、刑法では賭博行為が禁止されているという現実と法の乖離（※グレー・ゾーンの存在）が大きかったといえるでしょう。そこで政府も２０１８年７月には、ギャンブルの広告・宣伝やカジノの入場管理及び利用制限、依存症相談窓口設置といった対策を盛り込んだ、「ギャ

図 44
2025 年日本国際博覧会（略称：大阪・関西万博）会場「空」イメージ　写真提供：経済産業省

ンブル等依存症対策基本法」を公布・施行しています。

さて、先行するマカオは、2006年にはラスベガスを抜いて、売上高で〝世界一のカジノ・シティ〟になっています。同地の2017年カジノ税収はおよそ940億パタカ（約1兆2500億円）を記録しており、それは全歳入のほぼ8割に相当しています。同年の歳出は約777億パタカであったため、同地域の予算は、全てがカジノによって賄われているといえます。加えて、翌2018年1~11月における累計の同税収は、前年同期から15・6パーセントも増え約1兆3394億円にも達しています。更には、こうした財政収支黒字を背景に、2018年まで11年連続で永住権保持者に対して、約12万円の現金を〝税の還元〟富の再分配〟として給付しています。※1

ちなみに、カジノ立国（正確には、中国の一地域ですが）であるマカオの成功要因は、ラスベガスのようにエンターテインメントに依存しない〝カジノ・ファースト〟の収益構造と、富裕層が急増するグレーター・チャイナ（中国大陸、香港、台湾）に隣接するロケーションにあります。

そして、意外に思われる方も多いかもしれませんが、「マカオ歴史市街地区」として世界文化遺産に登録されている30箇所の歴史的建造物が、カジノへの集客に加え、国際観光客到着（海外旅行者受入）数：第21位・1722万5000人や、国際観光収入（海外旅行客から得る収

益）：第9位・355億7500米ドル（いずれも2017年実績）[※2]を下支えしているのです。[※3]

他方、韓国では、空の玄関口となる仁川国際空港から空港磁気浮上鉄道（リニア・モノレール）で5分の立地に、2017年4月巨大なIR型アミューズメント・パーク「パラダイスシティ」が誕生しました。およそ33万平方メートルの広大な敷地には、カジノやホテル、プレミアム・スパ（温浴施設）、コンベンション・センターにショッピング・モール、更にはK-POPスターや世界的DJが週替わりで出演するミュージック・エンタテインメント施設等が点在しています。

特筆すべきは、「アート（芸術）」と「エンターテインメント（娯楽）」を融合した「アートテインメント・リゾート」をテーマに掲げている点であり、草間彌生【図45】やダミアン・ハースト（Damien Hirst　1965年～）、ジェフ・クーンズ（Jeff Koons, 1955年～）を含めた国内・外の著名アーティストによる約2700点の作品が施設内各所に展示されています。まるで、美術館を巡っているかのような気分が味わえると、来場者の間でも高い評判を呼んでいるそうです。

実は、パラダイスシティに対する総投資額約1兆3000億ウォン（約1370億円）の内、1429億ウォンを投資すると共に、運営会社にも45パーセント出資しているのは、日本のパチンコ、ゲーム大手セガサミーホールディングス株式会社です。[※4]

同施設を運営するパラダイスセガサミー社（同社の持分法適用関連会社）の2019年3月期決算では、売上高が3010億ウォン（対前年度比50・5パーセント増）を記録し、このうちカジノ部門売上高は2486億ウォン（対前年度比42・1パーセント増）を占めると共に、カジノ利用者数も対前年度比62・1パーセント増の29万5000人へと順調に伸長しています。※5

地上配備型ミサイル迎撃システム（THAAD）配備

図45　草間彌生　《Great Gigantic Pumpkin》2017年　260.0x260.0x250.0㎝
パラダイスシティ内 HOTEL PARADISE WOW SPACE 展示風景　©YAYOI KUSAMA
写真提供：パラダイスセガサミー

PARADISE CITY「Check-in to Fantasy（日本語字幕）」編　2019年
https://www.youtube.com/watch?v=Pi4XIMR8VrY
動画提供：パラダイスセガサミー

への反発から、一時期、中国人訪韓旅行者は激減しましたが、それを上回る日本からの利用客が堅調に推移したため、結果的には開業からスムーズな滑り出しに成功したようです。

他方、シンガポールのセントーサ島では、マレーシアのゲンティン社が運営する「リゾート・ワールド・セントーサ（RWS）」が新たに2つのホテルを増築すると共に、テーマパーク内に任天堂のゲームキャラクターであるマリオが主役のスーパー・ニンテンドー・ワールドを新設する予定です。

また、チームラボ作品を常設展示するアートサイエンス・ミュージアムを擁する「マリーナベイ・サンズ」（米国のラスベガス・サンズ社が運営）は、4棟目の高層ビルを建設するようです。前述のホテルやカジノ施設などの充実に向けて、両社は合計で90億シンガポールドル（約7400億円）にも上る莫大な追加投資を決めています。※6

さて、勘のいい読者の皆様なら、既にお気づきのことと思いますが、前述の通り、カジノ⁼IR施設はアートと非常に相性が良く、また、観光客の誘致にも大きな相乗効果が期待できます。

1970年大阪万博（会期：1970年3月15日〜9月13日）では、稀代の名プロデューサーである堺屋太一のもと、岡本太郎（太陽の塔）、丹下健三（「大屋根」をはじめとする基幹施設）、菊竹清訓（エキスポタワー）、榮久庵憲司（街路設備）、中谷芙二子（ペプシ館）、横尾忠則（せんい館）、具体美術協会（具体美術まつり）、森英恵（コンパニオン・コスチューム）らのクリエイターたちが活躍し、同時に「反万博」を合言葉にゼロ次元、告陰、集団蜘蛛、秋山祐徳太子といった前衛パフォーマンス集団がその活動を先鋭化していました。

ミラノ万博やリオデジャネイロ・オリンピック閉会式のフラッグ・ハンド・オーバー・セレモニーなどで、既に充分な実績を挙げているチームラボやライゾマティクス、マリオ（172ページ参照）に加え、本書でご紹介してきた多様なアーティストやクリエイター、そしてキャラクターたちを起用すれば、2025年の大阪・関西万博のみならず、跡地の再利用・開発においても大きな効果を発揮することは明白です。

また、大阪は文化財の宝庫である京都、奈良と隣接する絶好のロケーションであることに加え、2019年7月には「百舌鳥・古市古墳群」[※7]が世界遺産に登録されています。こうした唯一無二の文化的観光資源、そしてゲームやアニメ、時に先端的なビジネスすら包含する広義の現代アートが、巨大IR施設と組み合わされることで、関西エリアのみならず日本全体に大きな利益をもたらすことは間違いないでしょう。

具体的には、バブル期に第3セクターが手掛けた夢洲《ゆめしま》、咲洲《さきしま》、舞洲《まいしま》における大型公共事業（233ページ参照）の累損一掃も夢ではありません。また、少子高齢化による税収低下から、存続の危機を招きかねない全国の美術館をはじめとする文化施設に対する救済にも有効です。

何より、万博とそれに伴う各種国家戦略特区の設定、そしてIR施設、文化財を中心とする観光資源は、東京への一極集中を緩和する大きな可能性を有しています。

9-2　アートの「早期危機発見装置」と「ファクト・チェック（事実検証）」機能

さて、改めて「現代アート」とは、一体何でしょうか？　拙著『現代アートを買おう！』（2010年）の冒頭で、「人々がお互いの違いを認識し、共存していくためのヒントまたはツール」と述べてから、今に至るまで私のユートピア的解釈は変わっていません。

しかし一方で、視覚芸術あるいは写真をはじめとする様々なイメージは、その言語を超えた訴求力の強さや情報伝播性から長らく政治にも利用されてきました。

例えばナポレオン一世は、お抱え絵師ともいえるジャック＝ルイ・ダヴィッド（Jacques-Louis David, 1748～1825年）に縦6・1メートル、横9・3メートルの大作《ナポレオン一世と皇妃ジョゼフィーヌの戴冠式》（1806～1807年）を描かせています。第一帝政の始まりをドラマティックに表現した同作は、今でいう大型LEDヴィジョンに映し出されたニュース映像と同様の効果を発揮していたことでしょう。

また、ナチス政権下で活躍した映画監督レニ・リーフェンシュタール（Leni Riefenstahl, 1902～2003年）は、ドーリー（台車）による移動カメラや、まるでドローンから撮ったような俯瞰映像など、斬新な表現手法と撮影技術で一時代を築きました。しかし、ナチス党大会とベルリン・オリンピックの記録映画『意志の勝利』（1934年）や『オリンピア（民族の祭典）』（1938年）は、ヒトラー独裁を礼賛し、国威発揚を促すプロパガンダ映画であると糾弾され、没後現在に至るまで対ナチス協力者の烙印を押されたまま再評価されていません。

そして、南京大虐殺記念館（中国名：侵華日軍南京大屠殺遇難同胞紀念館）における「百人斬り競争」報道写真[※8]や「慰安婦像」（本書では、日本政府による像の呼称・表記を採用しています）は、日本と中国及び韓国の二国間に、大きな政治摩擦を引き起こす切っ掛けとなっています。しかし、その一方で日本のアニメやゲーム、韓国のＫ－ＰＯＰは、厳しい政治状況下であるにも関わらず、パブリック・ディプロマシーとして依然両国で機能し続けています。

アート作品や写真、映像といった各種のイメージと、それらを包括した芸術や文化は、人類の叡知を表し、人生に豊かさをもたらすだけの存在ではありません。その使い方によっては、内政や外交、そして安全保障、更には経済活動全般にまで大きな影響を及ぼす「諸刃の剣」なのです。私たちは視覚芸術が有するパワーを、充分に認識・理解した上で、付き合っていかなければならないと肝に命じるべきでしょう。

メディアに関する先駆的な論考で知られるマーシャル・マクルーハン（Herbert Marshall

McLuhan, 1911~1980年[※9]）は、「芸術は、社会の『早期危機発見装置』である。そのおかげでわれわれは、社会的、精神的危険の兆候をいち早く発見でき、余裕をもってそれに対処する準備をすることが出来るのである」[※10]と述べています。つまりアート作品は、時に近未来の予測を示していると指摘しているわけです。

例えば曾梵志による《最後の晩餐》【図7】（2001年、49ページ参照）は、2013年習近平の国家主席就任以降、ますます激しくなる中国の「政経ねじれ現象」を、10年以上も前に作品化したものです。もっとも、1994年より描き続けている彼の代表作「マスクマン・シリーズ」（マスクを被ったポートレイト）は、現在、普及しつつある「信用スコア」[※11]による同国の行き過ぎた管理社会を、まるで25年前に予測していたかのようです。

こうした事例は枚挙にいとまがなく、それらは現代アートだけに限った話ではありません。マルク・シャガール（Marc Chagall, 1887~1985年）による《村の通り（赤い家並）》（1937~1940年頃）は、生まれ故郷である帝政ロシア領ヴィテブスク（現・ベラルーシ共和国ヴィーツェプスク）の幻想的な風景を描いた作品です。しかし、画面を覆う深い朱色からは、この後に起こるナチスの「ホロコースト」や、スターリン（Joseph Stalin, 1878~1953年）による「反ユダヤ政策」がもたらす未曾有の厄災を強く想起させます。こうした「早期危機発見装置」としての機能以外にも、アートは様々な機能を有しています。

最近ではＶＵＣＡ[※12]時代に対応可能な、芸術の効用が話題になっています。元々ルネサンスでは「アート（芸術⇒感性・直観）」も「サイエンス（科学⇒理論・理性）」も同根であり、個人的には、しばらく離れていた二つのファクターが、今また「アート×テクノロジーの時代」を迎え、先祖返りしただけであると思っています。

先端技術を用いたチームラボやライゾマティクスの祖先が、ヘリコプターの原理（図案化され、かつて全日空のシンボルマークにも採用されています）を考案し、水圧ポンプや蒸気砲を設計した科学者、工学技術者としてのダ・ヴィンチであることを考えれば、決して不思議ではありません。

それよりも、アート作品に対して、単に「美しい」や「素晴らしい」といった感想だけで終わらせないように、美学や歴史学（美術史を含む）、哲学、経済学などに対する理解を深め、描かれている図像の根底にあるコンセプトや、制作の背景について熟考することの方が重要であると考えます。

多くの作品に接することで長年蓄積された〝ものの見方〟は、独自のアルゴリズムとして体系化されていきます。すると、アート作品のみならず、あらゆるイメージを目にした時に、周辺情報と共にそれらを解析し、何が〝フェイク（虚偽）〟で、〝ファクト（事実）〟なのか自分なりの判断を下せるようになるはずです。

9-3　ケース・スタディ：「あいちトリエンナーレ2019」問題について考える

では、皆さんの「画像解析力」や「アルゴリズム」には、2019年のアート界で最も大きな話題となった事件は、どのように映ったでしょうか？

「あいちトリエンナーレ2019」（会期：2019年8月1日〜10月14日）内の企画展示「表現の不自由展・その後」[※13]において「慰安婦像」と酷似した《平和の少女像》などの展示に対して、多くの抗議が全国から殺到しました。タイミング的にも開催初日の翌日に、輸出貿易管理令の一部改正により韓国のグループAからBへの変更（いわゆる〝ホワイト国〟からの除外）が閣議決定されたため、深まる日韓対立がこの問題を更に大きくしたものと思われます。同時に、昭和天皇の肖像を燃やす映像作品の存在が、展示に対する反対意見の加速を促しました。

原則として、日本国憲法　第21条に則り「表現の自由」と「検閲の禁止」は、保障・尊重されてしかるべきでしょう。従って、同トリエンナーレの芸術監督を務めるメディア・アクティビストの津田大介（1973年〜）[※14]が記者会見（2019年8月2日）[※15]で語った「来場者および職員の安全が危ぶまれる状況が改善されないようであれば、企画自体の変更を含めた何らかの対処を行うことを考えている」や、河村たかし・名古屋市長による展示中止の申し入れに対しては、慎重に対処すべきであったと考えます。

結果的には、あいちトリエンナーレ実行委員会・会長を務める大村秀章・愛知県知事が、8

月3日「テロ予告や脅迫と取れるような電話やメールが来て、安全な運営が危惧される」ことから、当該少女像のみならず「表現の不自由展・その後」全体の展示を、翌4日から中止すると発表しました。それが如何なる主張であったとしても、暴力による問題解決は絶対に許されることではありません。

一方で「攻撃は予想以上だった。政治家の発言もあり、企画展は当初の趣旨を超え、政治問題になりつつある」という同氏の発言は、アートが有する訴求力をあまりにも軽く見過ぎていたといわざるを得ません。昨今、美術館館長や国際展芸術監督といった責任ある立場に、美術分野以外あるいは展覧会企画・運営未経験者からの人材登用が増えています。それ自体は、マンネリ化を防ぎ、展覧会やイベントの集客や理解を促す意味で、一定の意義はあると思っています。しかし、自らが表現することと、他人の作品を使い意思表明することの違いに対し、認識が不足していなかったかどうか、今一度よく確認しておくべきではないでしょうか。

また、協賛・協力企業について同氏は「『参加作家が男女同数で、ジェンダー平等を達成』あるいは『アートを通じた教育普及の取り組み。そういったトリエンナーレが育んできた文化的役割』に対して賛同いただいた」と述べています。そして「協賛・協力いただいている企業の皆さんには、大変なご迷惑をお掛けし、改めてお詫びをしなければならないと考えています」と謝罪をしています。

ＰＦＩや各種の助成、協賛などに企業の協力が不可欠な現在（２２７～２３４ページ参照）、協賛・協力企業が被る悪影響に対するリスク・マネジメントは重要な義務であり、そこにこそ、外部専門家の有する知見が絶対に必要であると考えます（その後、協賛ページは公式Ｗｅｂサイトから削除されています）。

更には、同展示が「表現の不自由展」（２０１５年、ギャラリー古藤）を、ベースにしていることは承知しています。しかし、あくまで私見ではありますが、トリエンナーレ会場である愛知県美術館で開催された「これからの写真」展（２０１４年）における、鷹野隆大作品《おれと》シリーズの一部が猥褻と判断され、作品撤去あるいは展示室の閉鎖を求められた事例（１５２～１５４ページ参照）などを取り扱わず、政治的な問題（主に天皇と戦争や慰安婦問題など）のみにフォーカスしている点については、些か偏向的ではないかと危惧しています。

あなたは、ご自身のアルゴリズムで本件をどのように解析し、その是非や「表現の自由」に関する未来を予測されたでしょうか？

追記

結果的には、先に展示辞退を正式表明していた韓国のアーティスト2名に加え、キュレーターのペドロ・レイエスと共に、新たに9組が作品展示の中止を要求しました。その中には、公式ポスターに作品画像が使用されているウーゴ・ロンディノーネの《孤独のボキャブラリー》（2014～2016年）も含まれており、もはや、トリエンナーレとしての体を成していない状態といえます（2019年8月末現在）。

同芸術祭は2013年と2016年2回連続で、60万人以上の来場者を記録しています。国や自治体からおよそ10億円の公金が投入されながら、多くの美術ファンが主要作品を鑑賞できないことは由々しき事態であるといえるでしょう。

紙数の関係により本書では、問題の根幹となる思想的部分には触れませんが、「アート（作品）とは、一体誰のものか」という点を、今一度強く考え直さずにはいられません。

また、前出のリーフェンシュタールは、革新的撮影技術や斬新な映像表現にも関わらず、その政治性によって、現在も作品自体の評価を下すことが困難な状態です（ちなみに同芸術祭では、レニ・リーフェンシュタールによる「オリンピア」第一部『民族の祭典』と、同第二部『美の祭典』〈いずれも1938年〉を上映しています）。他方、極めて強い政治的メッセージを発する作品が、その表現内容や造形技術などについても、きちんと評価されているのかどうか、今一度検証することも大切ではないでしょうか。

その後、前述の《孤独のボキャブラリー》は、展示継続が決定しました（2019年8月20日・発表）。9月26日には、文化庁が既に採択していた芸術祭への補助金約7800万円の不交付を決定。河村市長も、（市の）負担金約3300万円について、支払いを保留する考えを明らかにしています。今回の中止判断には、「社会の萎縮助長や、表現上の自己規制拡大につながることを憂慮する」という意見がアート界からも広く寄せられています。こうした状況の中、会期終了まで残すところ数日の10月8日には、「表現の不自由展」の公開が再開されました（但し、初日は約1300名の入場希望者から、抽選で60名のみが見学）。

一方忘れられがちではありますが、こうした混乱に巻き込まれることを嫌い、今後、企業の多くが芸術祭や展覧会への協賛に対し、より慎重になることが予想されます。少子高齢化に伴う税収低下や自主財源確保に奔走する文化施設にとって、こうした問題は後々大きな影響を与えていくのではないでしょうか。

9-4　日本が有する伝統的な「エコロジー」及び「ダイバーシティ」思想

さて、本論に戻りましょう。「早期危機発見装置」や「ファクト・チェック（事実検証）」といったアートが有する基本機能に加え、私たちが最も大切にしていくべき思考法の一つとして、「日本文化のDNA」を挙げておきたいと思います。

世界からゴミがなくならないのは、現代社会が大量生産、大量消費≒使い捨てというシステムに立脚しているからでしょう。しかし、人口100万人を誇る世界トップの大都市であった江戸は、何から何までリサイクルして利用する、完全なエコ（循環型）社会でした。当時の日本は鎖国を行っていたために、全ての物資やエネルギー資源を国内生産で賄っていたからです。

そのため、江戸時代には鋳掛屋（鍋、釜の修理）や瀬戸物焼接屋（陶器修理）、すき髪買い（かつら用頭髪収集）、紙屑買い・拾いから、灰買い（竈の灰収集・リサイクル）、下肥買い（排泄物収集・リサイクル）、蝋燭の流れ買い（溶け出た蝋の収集・リサイクル）まで、様々な〝リサイクル職人〟が活躍していました。※16

また、明末清初の混乱で廃れた景徳鎮に代わり、ヨーロッパに輸出された伊万里焼（後の有田焼）の緩衝材として、使用されていたのはリサイクルされた紙であり、そこには多くの浮世絵が混じっていました。後にそれらは、「ジャポニズム」という大きなムーブメントのトリガーとなり、クロード・モネ（Claude Monet, １８４０〜１９２６年）やフィンセント・ファン・ゴッホ（Vincent van Gogh, １８５３〜１９８０年）といった印象派及びポスト印象派のアーティストたちに多大な影響を及ぼすことになります。

このように、日本では江戸時代から、地球に優しいエコロジー思想に基づく社会システムが構築されていたのです。

また、ダイバーシティ＝多様性（異なる性質を尊重し、受容する環境構築）についても同様です。一神教であるキリスト教的考え方に沿った米国・ハリウッド映画では、人間を殺戮するために『ターミネーター』が未来から送り込まれてきます。一方日本では、不甲斐ない先祖を助けるため、時空を超えてやって来たのはネコ型ロボット『ドラえもん』でした。「シンギュラリティ」後の世界が「ユートピア」になるか「ディストピア」となるかは、専門家の間でも意見が分かれるところです。しかし、「八百万の神[※17]」に代表されるアニミズム[※18]や多神教的な日本の考え方は、間違いなく機械との共生を可能にしていくものと確信しています。

こうした日本的なダイバーシティ思想は、聖徳太子が制定した十七条憲法の第一条「和を以て貴しとなす」から、果てはアニメやスーパー戦隊シリーズ[※19]まで顕著に表れています。『スーパーマン』や『スパイダーマン』といったアメリカン・ヒーローが一人であるのに対し、ウルトラ兄弟[※20]や『秘密戦隊ゴレンジャー』、更にはアニメの『ガッチャマン』、『サイボーグ009』は、女性を含むメンバー全員が協力して敵と対峙していることからも明らかです。

そして、アートの世界でも同様に、狩野派からチームラボまで、個人よりチームや組織で独自優位性の高い作品制作を行い、日本美術史に大きなムーブメントを起こしてきたのです。[※21]

9-5　終わりに：文化が創る日本の未来

我が国のアートや文化が内包する多神教的価値観やダイバーシティ思想は、あらゆるモノをつなぐIoTや、極めて民主的なブロックチェーンといった先端技術と極めて親和性が高いといえます。

そしてIoTの鍵を握るセンサー技術や、GAFAそしてBATHのサービスに欠かせないデジタル機器製造に必要な、フッ化ポリイミド、レジスト、フッ化水素などの素材や組み立て工作機械は、日本が圧倒的市場占有率を誇っています。また、誤差を数センチまで縮小するGPS人工衛星や、ハンマー1本で新幹線を成形する金属打ち出し加工技術、更には精密不織布、人工クモ糸繊維生産等々、他国が真似できない日本の技術は枚挙にいとまがありません。

我が国の伝統的な思想と先端技術を融合し、デザインや広義の現代アート作品に落とし込み、更にそれらを東京2020オリンピック・パラリンピック競技大会や、2025大阪・関西万博＋IR施設を巨大な実験場にして検証。次世代クリエイティブ・ビジネスの権輿とすれば、失われた20年以降も続く景気低迷を脱し、技術、経済分野で大きなイニシアティブを握ることも決して不可能ではないでしょう。

AIの発達に伴いデザインや広告表現の世界でも、機械化、自動化は当たり前になりつつあります。そして、驚くべきスピードとクオリティを有するサービスが、数多く登場していることは既に第6章で述べた通りです。それらは、顧客やターゲット層の最大公約数的志向を反映しているため、ある種のコモディティ化された、既視感を伴う表現であるといえます。

量子コンピュータの実用化に伴い、簡便且つ低コストで精度の高いビッグデータ解析が行われるようになれば、その傾向はますます強く、しかも精緻になっていくことが予想されます。

そのような状況下では、データ過信から脱した人間独自のクリエイティビティ＝先鋭的な発想・表現のみが、差異化を可能にしていくと考えられます。また、「正しい／誤り」という2進法的思考に捉われず、時に「ファジー＝大雑把」を認め、「エラーでも良い、負けですら良い」と考えられることこそ、AIには真似のできない人間独自の高度な機能であるといえるでしょう。

加えて、他者が信仰する神に対し非寛容な一神教や、行き過ぎた拝金的資本主義、あるいは社会主義国における一党独裁の弊害を考えれば、日本人の伝統的自然観や多様性に富んだアニミズムこそ、これからの時代に必要な思考であるといえないでしょうか。繰り返しになりますが、アトムやドラえもんを生み出してきた私たちであれば、きっと機械とも共存共栄可能な未来を創っていけるはずです。「クリエイティブな発想・表現」に基づき、独自の「高い技術力」や、伝統的な「ダイバーシティ」や「エコロジー」思想を備えた現代アートの存在は、今後ますますその重要性を高めていくことが予想されます。

米国の都市経済学者リチャード・フロリダは、その著書『新クリエイティブ資本論』の中で、これからの経済成長は、「クリエイティブ産業」（科学、文化、デザイン、教育産業など）が、その鍵を握っていると説いています。

同産業を構成する最も重要なファクターは、技術（Technology）、才能（Talent）、寛容性

（Tolerance）という「3つの〝T〟」であり、その成立には、「非貨幣的価値」と「場所やコミュニティの特性」が大きく関わっているといいます。前者はクリエイティブ人材にとっての〝やりがい〟に代表される「内発的報酬」であり、後者はそうした人材の受け入れに寛容な「ボヘミアン気質」の土地柄や、コミュニティにおける「性的マイノリティ指数」の高さなどを表しています。同氏は、そうしたオープン且つ様々なイノベーションを受け入れる、「クリエイティブ都市」の先駆的な成功事例として、現在のシリコンバレーを挙げています。※22

日本では、高度成長期に〝村〟を捨て、1990年代以降はモータリゼーション進展に伴う郊外型モールの開業ラッシュにより、数多くの〝シャッター商店街〟を生み出してきました。そうした過去を省みて、今一度、東京一極集中から地方分散へと発想転換することは、持続可能な日本社会の未来にとって非常に有意義であると思われます。

そして、増え続ける芸術祭や各地で開催されている「街興し」的アート・イベントを、一過性の祭りで終わらせることなくローカライズ、定着させていくこと。加えて、民間の資金やノウハウを効果・効率的に利用した公共（的な）文化施設を有効活用することは、「クリエイティブ都市」としての地方再生・復権に大きく寄与するものと確信しています。

グローバル化や資本主義が行きつく所まで到達し、AIをはじめとする先端技術の発達が社会に劇的な変革をもたらす時、私たちの価値観はどのように変わっているのでしょうか？　どうか、あなたご自身の「アルゴリズム」で解析してみてください。

私たちの未来は、果たして「ユートピア」でしょうか？　それとも「ディストピア」でしょうか？

終　章　註釈

※1：「マカオの17年度財政収支、約5300億円の黒字に…対前年86・2％増＝カジノ税収アップが寄与」
澳門新聞　2018年3月6日
https://www.macaushimbun.com/news?id=23857
増子保志「マカオカジノ産業における構造変化―転換点としての対外開放」
日本国際情報学会誌『国際情報研究』13巻1号　26～36ページ
「マカオ、市民へ現金給付継続　カジノ税収潤沢で」日本経済新聞　2013年11月14日

https://www.nikkei.com/article/DGXNASGM12044_U3A111C1EB1000/

マカオの19年1～5月累計カジノ税収1・8％増の約６４９２億円…歳入の９割超占める＝年度進捗率は49・２％」澳門新聞　２０１９年６月19日
https://www.macaushimbun.com/news?id=28063
以上を参考にしました。
いずれも２０１９年７月27日閲覧

※２：世界観光機関（World Tourism Organization, 略称：UNWTO）の統計データによります。
http://marketintelligence.unwto.org/content/unwto-world-tourism-barometer

※３：前掲「マカオカジノ産業における構造変化―転換点としての対外開放」 34～35ページを参照ください。

※４：「セガサミー、韓国で１４００億円規模のカジノリゾート建設へ…仁川空港そば」
Response　２０１４年11月22日
https://response.jp/article/2014/11/22/238035.html
を参考にしました。
２０１９年７月27日閲覧

※５：「セガサミーホールディングス パラダイスシティ（韓国）売上増　カジノ部門売上高は前年42・１％増」
Amusement Japan No.10001162　２０１９年４月26日

https://amusement-japan.co.jp/article/detail/10001162/
を参考にしました。
２０１９年７月27日閲覧

※６：「シンガポールのＩＲ拡張、任天堂「マリオ」のエリアも 運営２社が７４００億円を追加投資」
日本経済新聞　２０１９年４月３日
https://www.nikkei.com/article/DGXMZO43303360T00C19A4FFE000/
を参考にしました。
２０１９年７月27日閲覧

※７：百舌鳥・古市古墳群：大阪府堺市、羽曳野市、藤井寺市に跨る４世紀後半から５世紀後半の45件、49基の古墳群の総称。２０１９年７月６日の第43回世界遺産委員会で正式に世界文化遺産に登録されました。

※８：「中国南京大虐殺記念館の向井・野田両少尉の写真撤去に関する請願」参議院　第１６６回国会　請願の要旨
http://www.sangiin.go.jp/japanese/joho1/kousei/seigan/166/yousi/yo1662313.htm
を参考にしています。
２０１９年７月27日閲覧

※９：マーシャル・マクルーハン（Herbert Marshall McLuhan, １９１１～１９８０年）：カナダ出身の

英文学者で文明批評家。1933年マニトバ大学を卒業し、1943年ケンブリッジ大学より博士号を取得しています。「メディアはメッセージである」や「メディアは人間の身体の拡張である」という主張など、先駆的な論考で知られています。

※10：マーシャル・マクルーハン著『人間拡張の原理』後藤和彦、高儀進訳　竹内書店新版への序　viiiを参照しています。

※11：信用スコア：中国国内で実施されている一種の信用度評価です。アリババが手掛ける「芝麻信用（セサミクレジット・ジーマ信用）」や「騰訊征信（テンセント・クレジット）」が有名です。信用レベルを意識させることで不正取引などを減らし、健全な社会システムを築くことを目指した、政府主導の社会信用体系建設規划綱要（社会信用システム構築計画綱要）が、その普及を後押ししています。例えば信用スコアの高い人は保証金が免除されたり、就職に有利に働くという傾向がありますが、逆に低ければ公共交通機関による移動が制限されたりします。日本の信用情報は基本的に金銭の借り入れと返済に限定されていますが、中国の信用スコアには、学歴や職歴、人柄や収入なども影響します。

※12：VUCA：Volatility（変動性、不安定さ）、Uncertainty（不確実性、不確定さ）、Complexity（複雑性）、Ambiguity（曖昧性、不明確さ）というキーワードの頭文字から取った言葉で、現代の予測不能で混沌とした経済・社会環境を指しています。

※13：あいちトリエンナーレ2019公式Webサイト「表現の不自由展・その後」作品作家解説

https://aichitriennale.jp/artwork/A23.html
２０１９年8月3日閲覧

※14：津田大介（１９７３年～）：あいちトリエンナーレ２０１９芸術監督。早稲田大学社会科学部を卒業、在学中から執筆活動を開始します。早稲田大学文学学術院教授、有限会社ネオローグ代表取締役、一般社団法人インターネットユーザー協会代表理事。朝日新聞社論壇委員、新潟日報特別編集委員等も兼任しています。

※15：「『少女像』展示、どうなる？　実行委で検討へ。芸術監督・津田大介氏が会見（声明全文）」
HUFFPOST　２０１９年8月3日
https://www.huffingtonpost.jp/entry/daisuke-tsuda-press-conference_jp_5d44111fe4b0acb57fcad537
を参考にし、一部引用しています。
２０１９年8月3日閲覧

※16：「理想的なエコ社会！　江戸時代のリサイクル技術が素晴らしい」エコトピア
２０１８年10月23日
https://ecotopia.earth/article-213/
を参考にしています。
２０１９年7月27日閲覧

※17：八百万の神：森羅万象に神の発現を認める、古代日本の神観念を表す言葉です。

※18：アニミズム：生物・無機物を問わずあらゆるものに神や精霊、霊魂が宿っているという考え方。

※19：スーパー戦隊シリーズ：日本の特撮テレビドラマシリーズ。ウルトラ・シリーズ・仮面ライダー・シリーズと共に、およそ45年に亘り放映されている長寿シリーズです。数名のチームが色分けされたマスクとスーツで武装したヒーローに変身し、怪人・怪獣と戦うストーリーが基本コンセプトになっています。『秘密戦隊ゴレンジャー』（1975年）から『騎士竜戦隊リュウソウジャー』（2019年）まで、全部で43作品にも上ります。

※20：ウルトラ兄弟：円谷プロダクション制作の特撮テレビドラマ作品『ウルトラマン』をはじめとするウルトラ・シリーズに登場した歴代ヒーローを指します。

※21：詳細については、拙著『アート×テクノロジーの時代　社会を変革するクリエイティブ・ビジネス』光文社　190～204ページをお読みください。

※22：リチャード・フロリダ著『新クリエイティブ資本論　才能が経済と都市の主役となる』井口典夫訳　ダイヤモンド社
広井良典著『ポスト資本主義―科学・人間・社会の未来』岩波新書
を参考にしています。

終　章　終わりに：文化・芸術が果たす役割

あとがき

『現代アート経済学』（光文社新書）が刊行されてから､早や5年が経ちました。その間､アート界のみならず世の中も大きく変化し続けています。特にテクノロジーに関する分野は、日進月歩ならぬ秒進分歩とでもいえるほどのスピードで進化しています。自らの研究やコレクション活動、そして大学で講義を行いながら、現代アート経済学もそろそろアップデートの時期にきていることを感じていました。

また、最近ではビジネス視点によるアート教養本が、ちょっとしたブームになっています。私もそれらを一読しましたが、今まで以上に一次情報にこだわり、客観的でグローバルな価値観をわかりやすく伝えるものでなくては出版する意味がないと強く思いました。

そこで2017年より構想を練り、2018年から本書の原稿を書きはじめましたが、書いているうちに世界を揺るがす大事件が起こったり、オークションの史上最高価格が更新されたりと、常にイタチごっこ状態でした。

加えて、最近では各種画像の掲載許諾が非常に取りにくくなっており、本書掲載図版の手続きを完了するのにも約6ヶ月を要しました。できるだけ多くの画像、動画を掲載すべく努力しましたが、残念ながら契約その他の問題で、諦めざるを得なかったものも少なくありませんでした。正に敬愛するアーティストのライアン・ガンダー（Ryan Gander, 1976年〜）がいうところの「著作権・所有権・原作者に悩まされる私たちの時代の美術史」（ライアン・ガンダー『―この翼は飛ぶためのものではない』展覧会カタログ、国立国際美術館、2017年、90ページ）を痛感する日々でした。

また、それは画像のみならず本文のテキストにも及んでいます。報道記事（例え、それが緊急性を要さない内容であっても）は、事前確認を必要としない特権を有しています。一方で、視覚芸術やデザインなどを論じる拙著を含む、多くの出版物は確認に多くの時間を要し、また、正確性という名のもとに、時に不本意な修正を求められることも少なくありません。

著作権を巡るコンフリクト回避のため、自主規制が行き過ぎたり、AIの発達に伴い自動検索や翻訳機能がますます充実すれば、結果的に「表現の不自由」を促すことにもなりかねません。もの書き、研究者の端くれとして、そうはならないことを祈るばかりです。

令和元年を振り返れば、笠間日動美術館でのコレクション展にはじまり、学び直しの大学院・

あとがき

修士論文と次のステップへの準備、そして年末に刊行された拙著「今すぐスタート！『好き』から作る 定年後の稼ぎ力」（日経ＢＰ）執筆、更には９月以降続いた海外での出張講演や審査など怒涛のような一年間でした。

とにもかくにも、今回こうして一冊の本にまとめることができて、ホッとしています。


今回執筆の機会を与えて下さったウェイツの中井健人社長と、本書のデザインを一手に引き受けて下さった赤穂有実子さんのお二人には心から感謝しております。

また、図版や動画の掲載、コメント引用やインタビューにご協力いただいた全ての方に、この場を借りて深く御礼を申し上げます。

最後に、いつも私を支えてくれている妻と、心の中で生き続けている母、そして二人の祖母に本書を捧げたいと思います。

令和二年 睦月
宮津大輔

宮津　大輔 daisuke MIYATSU
アート・コレクター、横浜美術大学教授、森美術館理事。
1963年東京都出身。広告代理店、上場企業の広報、人事管理職を経て現職。1994年以来企業に勤めながら収集したコレクションやアーティストと共同で建設した自宅が、国内外で広く紹介される。台北當代藝術館（台湾・台北）の全館を使用した大規模なコレクション展（2011年7～9月）や、笠間日動美術館とのユニークなコラボレーション展（2019年3月～5月）などが開催され話題となった。文化庁「現代美術の海外発信に関する検討会議」委員や「Asian Art Award 2017」、「ART FUTURE PRIZE・亞洲新星奬2019」の審査員等を歴任。また、「クローズアップ現代＋」（NHK）といった報道特集から、人気のバラエティ番組まで、テレビでも幅広く活躍中。著書に『アート×テクノロジーの時代』『現代アート経済学』（以上、光文社新書）や『現代アートを買おう！』（集英社新書／中国・金城出版／台湾・Uni Books／韓国・ArtBooks）、『定年後の稼ぎ力』（日経BP）などがある。

現代アート経済学Ⅱ
脱石油・AI・仮想通貨時代のアート

2020年4月1日発行

著　者　宮津　大輔
発行人　中井　健人
制　作　株式会社ウェイツ
装　丁　赤穂　有実子
印　刷　株式会社シナノパブリッシングプレス
発行所　株式会社ウェイツ
〒160-0006
東京都新宿区舟町11番地
松川ビル2階
電　話　03-3351-1874
http://www.wayts.net/

Printed in JAPAN
ISBN978-4-904979-30-3